나, 잘 살고 있나?

용진

애매한 서른,
자화상

작가의 말

제 첫 번째 책인『 싱숭생숭 집에가자』를 읽으셨는지 모르겠지만, 책 속 스물다섯 번째 이야기 제목은 '서른 즈음에 나의 길을 걸어가는 나란 놈' 입니다. 『 나, 잘 살고 있나?』는 그 이야기의 확장판이라고도 할 수 있겠습니다.

서른을 바라보며 꼭 한번 이 때 느끼는 감정을 글로 남기고 싶었습니다. 많은 사람이 서른을 기준으로 옳고 그름, 해도 되는 것과 하면 안 되는 것, 도전과 치기를 가릅니다. 글쎄요. 아직도 저는 그 기준이 어떻게 생긴 건지 잘 모르겠습니다. (삐딱) 그래도 세상이 그렇게들 서른이 중요하다고 하니, 서른을 맞이하는 지금을 기록하려 합니다.

스물아홉. 가득 찬 나이로는 스물일곱. 누군가에겐 머리에 피도 안 마른 응애응애 아기일 수도 있겠고, 또 다른 누군가에겐 "저기, 학생~!" 보다는 "어이~ 삼촌~!" 이라고 부르는 게 익숙한 나이일지도 모르겠습니다. 뭐라 부르든 이 세상에 나온 지 삼십 년이 다 되어 간다는 건 변하지 않는 사실입니다.

좌우명이 비정기적으로, 수시로 바뀝니다. 요즘 마음에 새긴 좌우명은 '가끔은 보편적으로, 상식적으로, 평균적으로 생각하지 말자.' 입니다. 이 책은 그런 마음과 생각을 담은 글 모음입니다. 신변잡기 적이라 느끼실 수 있고, 무슨 말도 안 되는 소리를 하냐고 느끼실 수도 있습니다.

맞습니다. 거룩한 교훈이나 번쩍하는 영감보다는 잔잔한 마음의 잔상이 남는 글이길 바랍니다. 그저 “이런 사람도 있네~ 호호호” 하며 읽어 주시면 좋을 것 같습니다.

이야기를 시작하려 하니 가슴이 웅장해지다가 쪼그라드는 기분입니다. 으앙. 부디 제 이야기가 당신에게 부담스럽지 않길. 상처가 되지 않길. 천천히 다가가 부드럽게 스미길 바랍니다. 책을 가운데 둔 지금의 당신과 언젠가 좋은 기회와 때에 만날 수 있으면 참 좋겠습니다.

감사합니다.

2022년 5월, 여름을 바라보며
용진 올림

목차

들어가며

“용진님, 이번 책은 어떤 내용이에요?”

“아, 이번 책이요? 이번엔 .”

“음... 글로 표현한 용진님의 ‘자화상’ 같은 거네요 그럼?”

주저리주저리 책에 관해 설명하던 내 모습이 조금은 머쓱해졌다. 무엇보다도 정확히 책의 내용을 설명해 줄 수 있는 단어가 있었다. 자화상. 나는 지금껏 나에 대해 글을 썼던 것이다. 그 글을 읽어보지 않은 사람에게 짧게 설명만 했는데도 그는 글이 나라고 이야기했다. 의도했든 그렇지 않든 나는 '나 좀 봐달라고, 나 여기 있다고.' 소리 없는 아우성을 글로 옮긴 것이다.

글을 좋아했다. 조금 더 정확히는 시를 좋아했다. 보라색 체육복을 입던 시절부터 각진 어깨를 만들어주던 빳빳한 교복을 입을 때까지. 어쩌면 그 이후에도 시를 참 좋아했다. 수업 시간엔 교과서 뒤쪽에 스리슬쩍 시 같은 낙서를 해댔다. 나는 커서 책을 낼 거라며 노트에 제목부터 쓰고 "나랑 같이 책 만들 사람!"하고 교실에서 대장이라도 된 양 소리치기도 했다. 하나둘 모여든 꿈 많은 친구들은 "그럼 내가 그림 그릴래!" "나도! 나도!" 하며 노트를 이리 가져가고 저리 가져갔다.

때마다 백일장에 참가했다. 일등이나 대상은 해본 적도, 받아본 적도 없다. 애매한 상의 이름들. 후원사의 이름을 딴 '~레인저상' 이라던가, 장려상, 참가상, 조금 더 높은 건 동상. 그 정도였던 것 같다. 그래도 내가 쓴 시가 연말 학교 책자에 실릴 때면 어깨가 으쓱해져 엄마에게 달려가 자랑하던 시절이 있었다.

나도 대상 받고 싶은데. 테두리가 더 멋진 상장 갖고 싶은데. 왜 내 상장엔 딱딱한 케이스가 없을까. 애매하게 잘하는 사람에겐 결핍이 있다. 무언가에 특출난 사람을 항상 동경한다. 나도 저만큼 할 수 있을 것 같아 힘 써 보면 항상 힘만 쓰다 고꾸라지길 수십 번 반복한다. 이것도 잘한 거라며 애써 토닥여 주는 그 한마디는 그저 애쓰는 것일 뿐이다. 재미있게 읽던 책은 어느새 무거운 짐이 되어버리고, 나는 이것뿐이 안된다며 애매하게 잘하는 건 아무 소용 없다고 짜증만 낸다.

그렇게 교복을 벗었다. 더 이상 어느 것도 나의 어깨를 각지게 만들어 주지 못했다. 수많은 결핍과 자기 비하, 피해의식은 누구보다도 예민한 나를 만들었다. 이런 마음으로 사람들과 부대껴 사는 건 물 한 모금 없이 삶은 달걀을(완숙으로) 세 개쯤 연달아 먹는 것처럼 목이 턱턱 막히는 순간의 연속이다. 매 순간 질문이 가득하다. 왜 저럴까. 저 사람은 굳이 저렇게 말을 해야 속이 시원할까. 한 끗 차이가 얼마나 큰지는 알고 저러는 걸까. 내가 당신 가족이라도 이렇게 대할 거냐!

그렇게 짧은 사회 초년생 생활을 마치고 몸도 마음도 지친 채, 어떻게 사는 게 잘 사는 걸까 고민하고 행동하고 있다. 그리고 그 고민과 행동을 담은 짧은 이야기에, 그는 이야기가 지금의 내 자화상 같다 했다.

거울을 보면 이곳저곳 마음에 들지 않는 구석이 가득하다. 여기도 손 보면 좋을 것 같고, 저기도 손 보면 좋을 것 같다. 사진 한 장 찍을 때도 너무 나 같이 나온 사진은 애써 외면한다. 이건 내가 아는 내가 아니라고 부인하며 지우기 급급하다. 그러고는 최대한 나 같이 생기지 않은 나의 모습을 고른다. 그렇게 선택된 나는 때로는 카카오톡 프로필 사진으로, 때로는 인스타그램 게시글 사진으로 쓰인다. 남들에게 보이고 싶은 나의 모습을 한 채로.

참 고생스러운 나날이다. 남들은 잘 알지도 못하는 티끌 하나 때문에 온갖 수고로움을 마다하지 않는 나의 모습을 바라본다. 조금 더, 조금만 더 가까이 바라본다.

순수한 마음으로 시를 읽던 내 모습이 보인다.

따가운 뙤약볕 아래에서 목덜미가 익어가는 줄 모르고 백일장에서 시를 쓰던 어린 나의 모습이 보인다. 그때의 내가 그립다.

시를 읽어야겠다.

시를 써야겠다.

나를 보아야겠다.

내가 되어야겠다.

그래야겠다.

업

취업을 했습니다. 다짜고짜 왜 취업 자랑이냐 하실 수 있지만, 사실은 사실이니까요. 여하튼 이 글을 쓰고 있는 지금은 하나의 조직에 속해 있는 직원입니다. 원래는 취업하고 싶지 않았습니다. 항상 세상을 삐딱하게 바라보는 제가 다른 사람 밑에서 일하는 걸 상상하기란 쉽지 않았어요. 그런데 어쩌겠습니까. 먹고는 살아야 하는데. 그래서 했습니다. 취업!

조금만 더 저에 대해 말씀드리면, 세상 주관 강하고 부정적이지만, 또 한다면 열심히 합니다. 최선을 다해서 말이죠. 취업 준비도 마찬가지였어요. 대학교에서 전공했던 분야에 맞게 열심히 준비했고, 운이 좋게도 첫 직장을 갖는 데에는 그리 긴 시간이 걸리지 않았습니다. 정확히 말하면 처음 지원한 곳에 철썩 붙어버렸어요. 저도 저를 왜 붙였는지는 잘 모르겠습니다. 그저 아무런 경험 없는 쌔빠지 신상 신입 직원의 패기를 좋게 봐주셨으리라 추측할 뿐입니다.

지금은 시용기간입니다. 말도 참 어려워. 수습도 아니고 시용이라. 시용은 '본채용 또는 확정적 근로계약 체결 전에 근로자의 직업적성이나 업무능력의 평가를 위해 확정적인 근로 계약을 유보한 채...' 여하튼 뜻도 참 길고 어려운 걸 하고 있습니다. 제가 이해하기론 이 기간에 회사와 맞지 않는다고 판단되면, 정식 직원이 될 수 없는 뭐 그런? 기간인 것 같습니다. 목표는 일단 시용 기간만이라도 잘 버텨보는 것입니다. 지금까지는 잘 해왔어요. 이번 달이 시용 기간의 마지막이거든요. 이 기간이 끝나고도 계속 일하게 될지, 일하고 싶을지는 그때 가봐야 알겠지만 그래도 열심히 해보려고 합니다. 누군가의 기회일 수도 있었던 자리에 제가 앉아있는 거니까요.

취업이 답인지, 창업이 답인지는 잘 모르겠습니다. 뭐든 업을 가지고 있는 게 중요한 거겠죠. 업을 가지면 기분도 업 되니까요. 사실 기분이 업 되는 건 얼마 가지 않더라고요. 수많은 계획서와 보고서를 쓰다 보면 문서에 담긴 날 선 단어들에 이리 찔리고 저리 찔리는 경우가 많아 조금은 힘들었습니다. 딱딱하고 날카로운 문서들을 순식간에 샤샤샤 써 내려가는 선임분들을 볼 때면 정말 대단합니다. '나도 저렇게 쓸 수 있을까?'라는 생각도 들고 말이죠.

그런데 저는 그 계획서와 보고서가 제 글이라는 생각은 아직 잘 들지 않아요. 회사가 정한 목적과 목표에 맞게 내가 써 내려간

글. 과연 그 글에 영혼을 담아 쓰는 분이 얼마나 있을까요? 계시긴 한 걸까요? 계신다면 저에게 연락 좀 주세요. 제 번호는 010-72...

모든 업을 가지고 계신 분들을 존경하고 응원합니다. 업을 가지기 위해 고군분투하고 있는 분들은 더 응원합니다. 업을 가지면 기분도 업 되고 삶의 질도 같이 업 되는 세상이 되었으면 좋겠어요. 적어도 내가 내 저녁 시간을 마음대로 컨트롤할 수 있는 세상이 왔으면 더 좋겠고요.

올까요? 그런 세상?

개미는(뚠뚠) 오늘도(뚠뚠)
열심히 일을 하네

요즘 제 주위엔 개미 아닌 사람이 없어요. 혹시 글을 읽고 있는 당신도 개미인가요?

주식 열풍을 넘어 광풍이 분다고들 하네요. 이제는 더 이상 '빨간 휴지 줄까, 파란 휴지 줄까'가 무서운 세상은 아닌 것 같아요. 아침에 일어나면 펼쳐지는 주식 시장이 빨간 나라인지, 파란 나라인지가 더 무섭다고들 하니까요.

주식 하는 사람은 많은데 왜 주식으로 떼돈 버는 사람은 TV 속에만 존재하는 걸까요? 떼돈을 벌어서 TV에 나오는 걸까요? 아니면 TV에 나와서 떼돈을 버는 걸까요? 잘 모르겠어요. 떼돈을 벌어본 적이 없어서 그 기분은 잘 모르겠지만, 그래도 TV에는 한 번 나와봤으면 좋겠는데 말이죠.

텔레비전에 내가 나왔으면~
정말 좋겠네에~ 정말 좋겠네~

커피를 즐기시나요?

어떤 커피를 즐기시나요? 아 그전에, 커피를 드시나요? 만약 드신다면 커피를 즐기시나요?

저는 커피를 아주 즐깁니다. 그리고 커피를 마실 때마다 하는 저만의 루틴이 있어요. 카페인 섞인 물이 필요할 때는 간단히 아메리카노를, 시간을 들여 커피를 즐기고 싶을 때는 필터 커피나 라떼를 마시는 거죠. 무슨 이상한 루틴이냐고요?

그냥 저만의 루틴입니다.

아침 출근길에는 해피아워 시간 동안 할인하는 카페에서 시원한 아메리카노를 사기도 합니다. 조금 늦었다 싶으면 당연히 스킵하고 회사 탕비실에 있는 커피를 마시죠. 둘 다 아메리카노입니다. 아침엔 카페인이 많이 필요하거든요.

라떼나 필터 커피를 마실 때는 조금 특별합니다.

일단 일하는 중이 아닐 때가 많습니다. 우유를 잘 소화하지 못한다는 걸 훌쩍 큰 이후에야 알아차려서, 화장실을 마음 편히 다닐 수 있을 때만 라떼를 마시거든요. 그리고 비가 오는 날이면 최고입니다. 비 오는 날 카페 안에서 따끈한 라떼를 시켜 큰 통 창 너머로 우산 쓴 사람들을 바라보는 것. 정말 좋아하는 장면 중 하나입니다. 비 오는 날은 싫어하지만, 비 오는 날 카페 안에 있는 건 좋아하는 분 저 말고도 많지 않나요?

아마 고등학생 때인 것 같습니다. 시험 준비를 하면서 처음으로 커피를 마신 것 같은데, 정확하진 않아요. 여하튼 그 무렵 어른의 음료인 커피를 처음 마시고 십여 년이 지난 지금까지도 하루에 적어도 한잔은 무조건 마시고 있네요. 커피 없이 살 수 있을까요? 고등학생이 되기 전에는 커피 없이도 잘 살았으니 크게 문제 되지 않을 것 같다가도, 이미 카페인에 중독된 저의 모습을 돌아보면 큰 문제가 될 것 같기도 합니다. 커피가 건강에 좋다. 아니다 건강에 나쁘다. 말이 참 많아요. 이쪽을 보면 이쪽이 맞는 것 같다가도, 저쪽을 보면 저쪽이 맞는 것 같죠. 그래서 저는 이쪽저쪽 안 보고 내 쪽 보기로 했습니다.

내가 마시고 싶으면 마시는 거지 뭘~ 남한테 해 끼치는 것도 아닌데~ 하며 말이죠.

이쪽이 맞나 저쪽이 맞나 고민될 때는 내 쪽이 맞지 않을까요?

어른스러워 보인다는 건

요즘 차가 너무 사고 싶습니다.

서울에 살지만 본가는 서울이 아니라서, 가끔 본가에 내려갈 때면 바리바리 짐을 싸 들고 갈 때가 많거든요. 그럴 때마다 낑낑대며 짐을 들고 대중교통을 탈 때면 정말 많이... 힘들답니다. 거기에 비까지 내리면? 그날은 잘못 건드리면 안 되는 날이 되는 겁니다.

이십 대 후반 즈음 되니 주변에 차 샀다는 이야기가 많이 들립니다. 중고로 사는 친구도 있고, 부모님의 사랑인지 은행의 사랑인지 모를 사랑에 힘입어 새 차를 삐까뻔쩍하게 사는 친구도 있죠. 그 모습을 볼 때마다 정말 부럽습니다. 모두 그 큰돈을 지갑에 가지고 다니지 않는다는 건 이제 알지만, 그래도 비싼 차를 뚝딱 사는 모습이 꽤 어른스러워 보이거든요.

어른스러워 보인다는 건 뭘까요?

예전엔 세금 내는 엄마의 모습이 정말 멋져 보였어요. 알 수 없는 숫자들이 가득한 직사각형의 노란 종이를 들고 은행으로 가 세금 내는 모습이 어린 마음엔 대단해 보였나 봐요. 하지만 가장 어른스러워 보이는 모습은 단연 운전하는 모습이었어요.

저는 운전병 출신인데, 아이러니하게도 차를 무서워합니다. 어렸을 적 크고 작은 차 사고가 잦아서 그런 것 같아요. 아직도 기억이 생생합니다. 그런데 어떻게 운전병이 되었냐고요? 모든 일은 춘천 102보충대에서 시작돼요. 아무것도 모르는 까까머리 이십대 초반 남자들이 득실거리던 그곳에서 말이죠. 정확한 명칭은 기억나지 않지만, 조교 비슷한 사람이 운전면허증 있는 사람은 내라 그랬어요. 운전병으로 지원할 수 있는 기회라고. 그래서 그냥 냈습니다.

저도 그때 왜 냈는지 모르겠어요. 단 한 번도 운전해 본 적 없던 때였는데 왜 그랬을까요. 비극은 그때 시작되었습니다. 보충대를 거쳐 훈련소, 그리고 운전병 교육을 받는 야전수송교육단(a.k.a 야수교)에 갔습니다. 자그마한 문제는 시간이 지날수록 더 커지는 법이죠. 늦은 나이에 입대해서 운전면허를 딴 지 꽤 오래됐던 저는 사실대로 면허 취득 연도를 썼어요. 취득 연도부터 운전 경력이 된다는 건 몰랐습니다. 그때 조금 줄여서 썼어야 작은 차를 몰 수 있었는데 너무 솔직했던 거죠. 그래서 들어갔습니다. 버스반에!

다들 부러워했어요. 항상 뽑는 버스 반이 아니었거든요. 대형차보다도 좋은 버스를 몰면 바깥 구경을 할 기회도 많고, 운행 나갈 일도 많아서 휴가를 많이 받을 수 있다는 게 이유였습니다. 하지만 저는 1종 보통 면허시험 때 기능시험도 한 번 떨어진 운전 문외한이었어요. 야수교에서의 하루하루는 지옥 같았죠. 수많은 인신공격과 욕설에 퇴교해야 하나 싶은 생각이 매일 밤 머릿속에 가득했어요. "너는 왜 야수교에 왔냐", "너 같은 애가 왜 버스 반이냐", "야 이 XX야 제대로 안 하냐"는 아주 귀여운 대화였어요. 더는 이야기 못 할 것 같아요. 눈물 나려 하거든요 지금.

힘들게 힘들게 교육을 마치고, 군 생활도 그럭저럭 잘 해냈는데, 전역 후에도 여전히 차는 무서웠어요. 내가 통제할 수 없는 속도로 달리는 무거운 쇳덩이가 너무 무섭더라고요. 그래도 조금씩 조금씩 연습 하고 익숙해지려고 노력했어요. 언제까지 운전을 안 할 수는 없으니까요. 넓은 공터에서 주차 연습도 하고, 차가 많이 다니지 않는 도로에서 주행 연습도 하고.

꽤 어른스러워졌나요? 아직 모르겠어요. 이제는 제법 운전도 익숙해졌고, 장거리 운행도 하지만, 차를 몰면 어른스러운 어른인 건가요? 어렸을 땐 운전하면 다 어른인 것 같았는데, 막상 운전을 하고 보니 다 어른스러운 어른은 아닌 것 같거든요.

어른스러운 어른이 되려면 어떻게 해야 할까요? 아니 그전에, 어른스러운 건 도대체 뭘까요?

꾸준함

요즘 가장 멋있어 보이는 사람은 꾸준한 사람입니다.

그게 어떤 일이든 꾸준~히 무언가를 해내어 가는 사람은 참 멋져 보입니다. 저는 가지지 못한 능력이라 더 멋져 보이는 것일 수도 있겠습니다. 제 MBTI는 ENFP입니다. 흔히 말하는 재기발랄한 활동가 유형이죠. 이곳저곳 쏘다니길 좋아합니다. 한 곳에 진득하니 붙어있기보다는, 새로운 곳에서 새로운 사람 만나길 즐기죠. 일도 여러 가지 해봤습니다. 영화관에서도, 카페에서도, 빵집에서도 일했었죠. 그런데 대부분 반년을 채 넘기지 못했습니다. 아르바이트도 반년 정도 하면 질렸고, 혈혈단신 혼자 외국에서 살 때도 반년은 이곳, 다른 반년은 저곳에서 살았으니까요.

꾸준함과는 거리가 먼 사람 같기도 합니다.

그런데 글을 쓰며 생각해보니 참 꾸준하게 변덕이 심했네요. 일정한 주기를 가지고 말이죠. 이것도 꾸준함이라면 꾸준함이니 어느 정도 멋있어 보이는 것 같습니다.

남들이 뭐라고 하든 꾸준히 나만의 길을 걷는 것. 당장 눈에 보이는 결과물이 없더라도 꾸준하게 내 일을 해 나가는 것. 참 멋있지 않나요?

저는 그런 사람이 되고 싶습니다.

꾸준~히 재밌게 사는 사람!

서울, 참 쉽지 않네요

당신에게 서울은 어떤 곳인가요?

복잡한 곳? 없는 게 없는 곳? 깍쟁이들의 도시?

저에게 서울은 '살아남아야 하는 곳'입니다.

스무 살 때 처음 서울에 왔습니다. 어린 막내아들이 걱정되었던 부모님은 학교 근처에 신축 원룸으로 자취방을 구해주셨죠. 보증금 이천오백에 월세 사십 만원. 거기에 관리비 오만 원에 공과금까지 더하면 월 오십은 족히 내야 하는 곳이었죠. 그 과분한 공간에서 일 년을 살았습니다.

계속 살 수도 있었지만 맞지 않는 헐거운 신발을 신은 듯한 느낌이 드는 공간이었기 때문에 좁은 곳으로 이사를 갔어요. 생각보다 조금 더 많이 좁은 곳. 고시원으로 말이죠. 아, 이름은 고시원이 아니었습니다. 있어 보이게 '원'을 대신해 '텔'을 붙인 '고시텔'로 집을 옮겼어요. 보증금은 따로 없었고 월 사십 오만 원을 내야 했죠. 월세를 내야 하는 건 자취방과 같았지만, 보증금이 없어도 됐기에 마음은 조금 가벼웠어요.

하지만 고시원은, 아니 고시텔은 정말 호락호락한 공간이 아니었습니다. 나름 깨끗하다고 생각한 곳이었지만 곳곳엔 곰팡이가 가득했고, 그런 공간에 방음은 사치였어요. 옆 방에서 통화하는 소리는 얇디얇은 벽을 통해 마치 나와 대화하는 양 선명히 들렸고, 복도엔 항상 담배 냄새가 배 있었습니다. 분명 금연 건물이었는데 어디서 그렇게 담배를 피우는지는 잘 모르지만 말이죠.

한 발짝 디디면 화장실이 있고. 살짝 고개를 들면 머리 위에 옷이 가득하고. 고개를 내려 앞을 보면 책상이. 그 옆엔 냉장고와 모니터가 있던 그 방에서의 생활은 그리 길지 않았습니다.

고시텔을 벗어나 학교 기숙사로 갔습니다. 1인실이나 2인실을 썼으면 참 좋았겠지만, 4인실 밖에 없는 기숙사였습니다. 그래도 학교 사람들과 어울리던 그곳에서의 생활이 지금 생각하니 참 풋풋했네요. 풋

학기가 끝난 방학엔 기숙사를 나가야만 했습니다. 새로운 살 곳을 찾아야만 한다는 말이기도 했죠. 학교 선배 집에서 하숙도 하고, 남자 네 명이 옥탑방에서 살기도 했어요.

정말 길에서만 안 잤지, 머리 뉘어 잘 수 있는 서울 땅에선 다 자본 것 같아요.

스무 살부터 서른을 바라보는 지금까지 서울은 제게 호락호락하지 않은 곳입니다. 살아야 하는 곳이었고, 살아남아야 하는 곳이었죠.

지금은 하늘보다 땅에 더 가까운 방에 지내고 있습니다. 조금 더 자세히 말하면 반쯤은 땅속에, 반쯤은 땅 위에 걸쳐져 있는 방에 지내고 있습니다. 흔히들 반지하라고 일컫는 곳이기도 합니다. 아무리 환기하고 청소해도 방 안엔 쿰쿰한 냄새가 납니다. 벽에 느낌 있는 엽서도 붙이고, 이케아에서 새하얀 가구를 사서 조립해 설치해 놓아도 반쯤 땅속에 잠겨 있는 이곳의 아우라를 이길 수는 없습니다.

언제쯤 땅 위로 올라갈 수 있을까요? 땅 위로 올라가면 서울에서 살아남기가 조금 수월해진 걸까요?

서울,
참 쉽지 않네요.

시는 우리 가까이

요즘 출근길에 책을 읽습니다. (다행히 아직 출근 합니다.)

예전엔 핸드폰을 쥐고 인스타그램 새로고침만 눌러댔지만, 그것도 어느샌가 재미가 없어지더군요. 그래서 책장 속에 잠들어 있던 책들을 하나둘 깨워 저와 함께 출근시켰습니다. 지하철에서 읽는 책은 생각보다 재밌더라고요. 다들 작은 핸드폰을 뚫어져라 쳐다볼 때 살짝 내리 깐 눈으로 책을 읽으며 착착 책장을 넘기는 제 모습이 꽤나 고상해 보이기도 합니다.

몇 번 책을 읽다 보니 느낀 점은, 출근길에 읽기 좋은 책은 '시집'이라는 겁니다.

지하철이나 버스는 중간중간 정류장에 서기 마련인데, 그럴 때마다 우르르 사람이 내리고 또 우르르 사람이 타곤 하죠. 엄청난 집중력을 지닌 부장님 급 정도 출근 경력을 가진 사람이라면 대하소설을 읽어도 흔들리지 않겠지만, 저와 같은 신상 직원은 집중력도 신상이라 흐름이 끊기기 마련입니다. 그래서 시집이 제격입니다. 길면 두 페이지, 짧으면 한 페이지 보다도 짧은 시를 읽으면 정류장과 정류장 사이를 오가는 시간이 아주 적당합니다.

특히 시를 읽고 주변 사람을 보면서 '시 속의 인물은 혹시 저렇게 생기지 않았을까?' 상상하는 재미도 쏠쏠합니다.

잔잔한 음악과 함께 편안한 소파 위에서 읽는 시도 맛있겠지만, 온갖 군상이 모인 지하철 안. 또는 버스 안에서 읽는 시도 아주 매콤하니 맛있습니다.

내일은 시집 한 권 챙겨서 나가보는 건 어떨까요?

'에이 갑자기 어떻게 시집을 읽어. 집에 시집이 어디 있어?' 라고 생각할 수 있지만, 책장을 자세히 한번 보세요. 얇은 시집 한 권 쯤은 어딘가에 꽂혀 빼꼼 고개를 내밀고 있을 거예요.

생각보다 시는 우리 가까이 있더라고요.

내일 출근길은

시처럼

살-짝

살-짝

쉬어 가며

걸어가 보는 건

어떨

까요

?

항상쉼없이빡빡하게달리기만하는출근길은조금벅차니까요!

??!!

퇴근길?

아시죠?

무조건!

빠르게!

약간 삐딱한 마음가짐과 몸가짐으로
살아보려 합니다

옷을 샀습니다.

정말 오랜만에 옷 가게에 들러 이곳저곳을 살피고 맘에 드는 옷들을 샀어요. 티셔츠 4장과 바지 2벌. 계절이 바뀌는 중이라 이전 계절의 옷은 다가올 계절의 옷보다 많이 저렴했습니다. 글을 쓰는 오늘은 절기상 '입추'입니다. 이제 가을이 들어선다는 날인데, 날씨는 아직 가을보다는 한여름에 가깝습니다. 사람들은 대부분 반팔 차림입니다. 더 짧은 옷들도 많지만요. 바지는 각양각색입니다. 무릎 위로 짧게 올라간 바지를 입는 사람도 있고, 발목 복숭아뼈를 덮는 긴 바지를 입는 사람도 있습니다.

참 다양합니다.

오늘 이곳에서 겪는 날씨는 같은데 날씨를 받아들이는 사람들의 마음가짐과 몸가짐은 다양합니다. 옷은 사람의 마음가짐을 드러낸다고 합니다. 흔히 TPO(time, place, occasion)에 맞게 옷을 입는 게 중요하다고 하죠. 시간, 장소, 그리고 상황에 따라 말쑥한 정장 차림의 옷이 어울릴 수도, 반팔 반바지와 슬리퍼가 어울릴 수도 있겠지요.

때로는 TPO를 깨 보는 상상을 하곤 합니다. 어디를 둘러보아도 빳빳하게 다린 셔츠와 구두 차림의 사람이 가득한 곳에서 헐거운 티셔츠를 입는 상상. 땀이 뻘뻘 나는 여름에 두툼한 모직 코트를 입는 상상. 그 반대가 될 수도 있고요.

아마 이상하게 보일 겁니다. 주류와 다르니까요. 대부분과 다르고, 평균과 다르고, 상식과 다르니까요. 그래서 저도 삼백 육십오일 중에 삼백일은 주류인 듯. 대부분에 속하는 한 사람인 듯. 평균 언저리에 속한 듯 행동합니다.

그런데

그래도

가끔은

보편적으로

상식적으로

평균적으로

생각하고,
행동하지 않아도 괜찮지 않을까요?

생각보다 세상은,
저 없이도 잘 돌아가더라고요.
꽤 괜찮을 것 같습니다.

삼백 육십 오일 중에 삼백일을 뺀 육십오일. 한 두어 달 정도는 약간 삐딱한 마음가짐과 몸가짐으로 살아보려 합니다.

그래야 조금 더 재밌지 않을까요? 깔깔

세상은 참 다양하니까요!

자리를 나서기 전에

카페에서 일할 때였습니다. 때는 밖을 나서면 살이 녹아버릴 것만 같았던 여름의 한가운데. 매장에서는 얼음과 시럽, 우유를 믹서로 갈아 만든 음료 한 잔을 사면 무료로 한 잔을 더 주는 행사를 하고 있었습니다. 오전부터 손님이 하나둘 오더니, 점심시간이 지나자 계산대 앞으로 줄이 늘어섰고, 혼자서 감당하기엔 벅찰 정도의 주문이 밀려들었습니다.

매장엔 저뿐이었고, 도와줄 사람은 아무도 없었어요. 주문받고 음료를 만들고, 주문받고 주문받고 음료를 만들고 만들고 만들고 만들고. 차가운 얼음을 갈아내는 믹서는 지칠 줄 몰랐지만 저는 믹서가 아니었기 때문에 지치고 말았습니다. 그리고 그 행사는 일주일 동안 계속되었어요.

일주일 내내 믹서처럼 일하며 느꼈습니다. 손님에게 차가운 음료를 드리려면 직원은 뜨거워져야 한다는 걸. 그리고 카페 바 안쪽은 제빙기, 믹서, 에스프레소 머신처럼 덩치 큰 기계들이 내뿜는 열로 무지 뜨겁다는걸.

저는 지금 살짝 한기가 느껴질 정도로 시원한 카페에 들어와 시원한 아이스아메리카노를 마시고 있습니다. 제 앞에 직원분은 방금 떠난 손님의 자리를 정리했고 땅에 떨어진 빨대 껍질을 깊이 숙여 주웠습니다.

가끔
아니, 자주 생각했으면 좋겠습니다.

우리는 누군가의 깊은 허리 숙임과 뜨거운 땀으로 하루를 무사히 보내고 있다는 것을요. 자리를 나서기 전에 주위를 둘러보아야겠습니다. 나도 모르게 땅에 떨어트린 것은 없는지, 쓰레기는 알맞은 곳에 잘 버렸는지, 의자는 잘 밀어 넣었는지 확인해야겠습니다.

기본을 하기란 어려운 것 같으면서도 쉽습니다.

짜파게티

할머니 아침 먹었어? 그럼 먹었지 점심도 먹었는데 아침은 벌써 먹었지. 아니 벌써 점심을 먹었어? 그럼 시간이 한시가 넘었는데. 으응? 벌써 한시가 넘었어? 그러네 한시 반이 다 되어가네. 시간도 안 보고 나왔네. 할머니 점심 뭐 먹었어? 점심? 그 뭐시기야 짜장면인가 짜파 뭐시기야. 짜파게티? 응 그래 봉지에 든 거 그거 먹었어. 오~ 할머니 짜파게티도 할 줄 알아? 오늘 처음 해봤어. 그거 물 따라 버려야 되는데 버렸지?

그럼, 푹 익혀서 물 버리고 그 뭐야 가루 같은 거 꺼먼거 그거 넣어서 비비니까 짜장같이 되더만, 아니 근데 짜장이 짜파 그 뭐야 짜파게티랑 같은거여 다른거여? 사 먹으면 짜장이고 해 먹으면 짜파게티지! 비슷해! 그치? 먹을만 하드라. 아? 할머니! 생각해보니까 나도 짜파게티 먹었어! 아침에! 우리 통했다! 왜 짜파..게티를 먹어 왜 몸에도 안 좋은데 밥을 먹어야지 라면 이런 거 먹으면 안 좋아. 응? 할머니도 방금 먹었다매! 다 늙은 나랑 너랑 같어...? 글쎄 잘 챙겨 먹으라니까 밥을 먹어 밥을. 알겠어 걱정하지마 잘 먹고 댕기고 있어. 그려 그려 그래도 할머니 새끼 아니랄까 봐 같은 걸 먹었네... 이리 떨어져 있어도 말여... 그래도 앞으론 밥 먹어 밥. 젊은 애가 잘 챙겨 먹어야지... 라면 먹지 말고...

현재의 저는 ENFP입니다

저는 ENFP입니다. 아 정확히 말하자면 스물여덟 살 원용진의 현재 MBTI는 ENFP입니다.

문자 그대로 해석하면 외향적이고, 직관적이며, 논리적으로 결정하기보다는 그때의 감정으로 결정하고, 계획적이기보다는 즉흥적이라고 하네요. 글쎄요. 맞는지 틀리는지는 잘 모르겠지만 여러 번 다시 해봐도 똑같이 나오는 걸 보면 현재의 저는 ENFP가 맞는 것 같습니다.

소개팅을 한 적이 있습니다. 어쩌다 보니 MBTI 이야기가 나왔어요. 소개팅에서 절대 하지 말아야 하는 이야기가 혈액형과 MBTI라고 하지만, 어쩌다 보니 튀어나온 이야기를 어떻게 다시 주워 담겠어요. 그래서 절대 하지 말아야 하는 이야기를 해버렸습니다. 그러고 나니 은근히 궁금하더라고요. 상대의 MBTI는 뭘까. 얼추 비슷하려나? 하고 들었는데. ISTJ라고 하더군요. 음. 그러니까 정반대였습니다. 상대는 외향적이기보다는 내향적이었고, 직관적이기보다는 현실적이고, 객관적이고 계획적인 사람이었습니다.

이래서 절대 하지 말라는 이야기라고 한 것 같습니다. 하지 말라는 건 하지 말아야 하는데 왜 갑자기 튀어나와서 당황스럽게 했을까요. 정반대의 사람을 만나면 오히려 잘 산다는 이야기도 있습니다. 하지만 저는 당장 내일 결혼하려고 만난 자리가 아니었고, 그렇게 두어 번의 만남을 이어가고 끝이 났습니다.

누구를 탓하고 싶지 않습니다. 그저 다른 것뿐이죠. 탓한다면 그 자리에서 그 말을 한 제 입에게, 아니 그 말을 입 속 혀가 하도록 명령한 제 머리를 탓해야겠어요. 말하지 않았으면 결과는 달라졌을까요? 글쎄요. 외향적이지만 혼자 있는 것도 좋아하고, 즉흥적이지만 계획적인 여행도 즐기는 저를 저도 잘 몰라서 장담은 못 하겠습니다.

알파벳 네 개로 이 복잡한 생물을 정의하기란 처음부터 잘못된 방법일지도 모르죠!

빨래방 덕분에 그들을 봅니다

매주 주말마다 빨래방에서 밀린 빨래를 합니다.

특히 습한 여름날에 집에서 빨래했다가는 일주일을 쿰쿰한 냄새로 신경써야하기 때문에 되도록이면 빨래방에서 건조까지 마치고 집으로 가져옵니다. 세탁과 건조를 모두 하면 만원 정도 드는데, 꽤 부담이 됩니다. 하지만 건조를 막 끝낸 옷에서 느껴지는 뜨거운 듯한 따스함이 너무 좋고, 뽀송뽀송한 일주일을 살 수 있다는 기대가 그보다 크기에 매주 같은 일을 반복하고 있습니다.

세탁은 십오 분에서 이십 분, 건조는 삼십 분에서 사십 분 정도가 걸립니다. 선결제해 놓은 아이디로 세탁을 마무리하면 지난 한 주간 열심히 일한 옷들은 다시 뜨거운 건조기로 옮겨지게 됩니다. 그리고 그곳에서 삼십 분 조금 넘는 시간 동안 뜨거운 바람에 이리 치이고 저리 치이며 바싹 마르게 되죠.

그런데 매번 마음 쓰이는 옷이 있습니다. 허리춤이 두툼해서 한 번의 건조로는 잘 마르지 않는 바지. 통이 넓고 편해서 자주 입는데 항상 빨래방에서 세탁 하고 건조 할 때마다 신경이 더 쓰이곤 합니다. 그래서 그 바지만을 위해 건조시간을 추가하거나, 여의치 않으면 집으로 돌아와 창문 가까이 다시 널어놓기도 합니다.

하루 정도면 다른 옷처럼 잘 마른 그 바지의 허리춤을 탁탁 털어 출근길에 입고 또다시 일주일을 잘 살아냅니다. 그럼 주말이 다시 다가오고, 일주일의 수고를 가방에 가득 담아 빨래방으로 터덜터덜 걸어갑니다.

빨래방은 붐비는 시간이 정해져 있습니다. 주중엔 잘 가지 않아 모르겠지만, 주말엔 사람이 몰리는 시간이 있습니다. 사람이 가장 많은 날과 시간은 일요일 늦은 오전입니다. 많은 월급 노동자들이 느지막이 일어나 아침을 먹고 그간 밀린 빨래를 하는 시간이 그때인 듯합니다. 그리고 저도 그 많은 사람 중의 한 사람입니다. 어떤 사람은 두툼한 수건만 한 상자 가져와 세탁하기도 하고, 다른 어떤 사람은 운동복만 가지고 와 세탁하기도 합니다.

빨래방에서 사람들을 바라보면 참 재미있습니다. 사람들을 구경하며 뭐 하는 사람일까 추측해 보기도 합니다. 부모님의 손을 꼭 잡고 빙글빙글 돌아가는 세탁기를 신기한 놀이기구 보듯 보는 아이를 바라보면 나도 조금은 순수해지는 듯하기도 합니다.

볕이 잘 들고 환기가 잘되는 집에서 큰 세탁기를 놓고 살았다면 보지 못했을 군상이 이곳엔 가득합니다. 물론 누군가에게 이곳은 볕이 잘 들고, 환기도 잘되는 곳에 세탁기가 있지만 가끔 찾아오는 곳일 수도 있습니다.

무엇이 되었든 빨래방 덕분에 그들을 봅니다. 그들을 보다 지루해질 때면 조그만 가방에 챙겨온 책을 꺼내 읽습니다. 주중엔 잘 읽히지 않았던 책도 주말 빨래방에선 순식간에 읽힙니다. 왜 그런지는 모르겠지만, 빨래방에서 읽는 책이 제일 재미있는 건 저뿐인가요? 한 장 한 장 넘기다가도 내 빨래가 다 되진 않았나 뒤를 슬쩍 돌아보는 과정이 꽤나 재미있습니다.

물론 대부분의 사람들은 책보다 핸드폰 속 화면을 보며 시간을 보냅니다. 그런데 가끔, 아주 가끔 책이나 잡지를 들고 오는 사람도 있습니다. 그런 사람을 볼 때면 더 궁금해집니다. 어떤 책일까? 무슨 잡지를 읽을까?

마음속에 오지랖 넓은 질문이 한가득합니다. 그 사람도 나처럼 빨래 시간을 확인하려 뒤를 흘깃 볼 때, 무언가 모를 내적 동질감을 느끼기도 하고 말이죠.

빨래방에서 일어나는 모든 일들은 평범하지만 소중합니다.

돈을 충전하고, 세탁기 번호를 고르고, 빨래를 넣고, 세탁을 하고, 카트에 세탁된 빨래를 옮겨 담고, 세탁기 보다 조금 더 큰 건조기에 다시 옮겨 넣습니다. 뜨거운 바람으로 건조를 끝낸 우리의 일주일은 마침내 큰 가방에 담겨 새로운 일주일을 바라봅니다.

평범하지만 소중한 행동과 시간이, 그리고 그 행동과 시간을 담고 있는 이 공간이 저에겐 퍽 뭉클하게 다가옵니다.

다가올 한 주를 열심히 살아야겠습니다.

옆자리

야 저번에는 사장이 뭐라뭐라뭐라 말하더라? 그게 말이 된다고 생각하냐? 아니지 아니지 그렇게 말하면 안 되지. 맞지? 아니 아다르고 어 다른 데 똑같이 말을 해도 왜 그렇게 얘기를 하냐 이 말이야. 뭔 말인지 알지? 알지 알지. 그럼 안되는 거지. 다 똑같이 힘든데 사장이라고 그렇게 말하면 밑에 사람은 어떻게 일해. 아니 그니까~ 밑에 직원보다 돈 더 받는 데는 다 이유가 있는 거잖아? 근데 그 책임은 안 지려고 하고 돈만

챙기려고 하면 어떻게 하란 말이냐고~ 그래 안 그래? 그치그치 말도 안 되는 거지... 나였어도 진짜 화났겠다. 안 그만둔 게 대단하다 야~ 그치? 아니 또 어떤 일이 있었냐면...

사람 사는 세상 그리 크게 다르지 않다는 위로와, 경청은 이런 것임을 깨닫게 해주신 옆자리 두 분께 감사드립니다.

2021년 7월 4일 일요일

비 오는 날을 썩 좋아하지 않는다. 특히 꿉꿉한 여름에 내리는 비는 더더욱. 그런데 시원한 에어컨 바람이 나오는 카페 안 의자에 앉아 큰 통 창 너머로 보이는 비는 좋아한다. 원래 이런 날은 느낌 있게~ 따뜻한 라떼를 마셔줘야 하는데 살짝 진정하고 아이스로 시켰다.

건너 건너 테이블, 주말을 나누는 대화를 제외하고는 이곳에 나 혼자뿐이다. 작업하려고 가져왔던 노트북은 잠시 책상 끝으로 미루고, 아껴 두었던 책을 나에게 끌어당겼다. 가사를 알아들을 수 없는 음악이 흘러나왔으면 더 좋았겠지만, 귀에 쏙 쏙 박히는 딕션 좋은 노래들이 흘러나와 조금은 흐트러진 집중을 다잡아보았다.

들리지 않는 빗소리를 상상하며 정말 오랜만에 문서가 아닌 책을 읽었다. 계획서와 보고서에 쓰인 날선 단어가 아닌, 한 글자 한 글자 작가의 마음을 담은 글자를 보고 읽으니 뭐랄까 이제 좀 살 것 같다.

스물여덟이 되고,
한껏 날 선 나의 말과
마음을 다듬고 있다.

자의인지 타의인지는 잘 모르겠지만, 어찌 되었든 다듬어지고 있다. 모든 것이 부정적으로만 보이던 것을 조금은 달리 보려고 노력한다. 그 반대로 좋아 보이던 것들이 그렇게만 보이지 않을 때도 많지만.

가장 노력하고 있는 건, 무던해지는 것이다. 날카로움이 필요할 때도 있지만, 조금은 무던~하게 순간을 받아들이는 노력을 하고 있다. 무던해지되, 무뎌지지 않도록 더 노력하고 있다. 쓰다 보니 생각보다 나 되게 노력 많이 하고 살고 있다.

역시 비 오는 날은 사람을 센치하게 만든다. 새벽 감성이 오후 두 시에 터질 정도로 말이다. 간만의 읽음이 너무 기뻐서 쓰는 행동까지 이어졌다.

조만간 조금 더 긴 글을 차근히 써야겠다.

일단 다시 읽자!

2021년 7월 4일 일요일. 마침 내려주었던 비. 그것을 바라볼 수 있도록 그곳에 있어 준 큰 통 창. 읽고 있었던 책. 새로운 씀을 시작하기로 마음먹었던 그날의 저에게 박수를 보냅니다!

큰 위로를 바란 건 아니었습니다

정말 오랜만에 글을 씁니다. 그동안 이렇게 힘들어도 되나 싶을 정도로 힘든 나날을 보냈거든요. 매일 아침 남들보다 한두 시간 일찍 출근해서 매일 밤 남들보다 한두 시간, 길게는 서너 시간 늦게 퇴근하고, 주말에 출근하길 반복했습니다. '다들 이렇게 사는 건가?' 라는 의문과 의심이 가득한 나날이었습니다.

그러다 보니 자연스레 지인들과의 연락은

줄었습니다. 지인이라 일컬을 사람도 많진 않지만, 많지 않은 그 사람들과의 연락도 준 거죠. “그래, 좋아!”라는 밝은 대답보다는 “미안해, 다음에 만나자.”라는 무거운 대답이 저로부터 그들에게 전해졌습니다. 그들을 만나고 이야기할 힘조차 남아있지 않았습니다. 만나기 위해 씻고, 머리를 만지고, 옷을 갈아입고, 길을 걷고, 지하철을 타고, 다시 또 길을 걷는 그 과정이 업무처럼 느껴졌습니다.

거절. 거절. 또 거절.

저를 생각해서 건넨 그들의 손을 뿌리치기 바빴습니다. 대부분은 이해해줬지만, 그중 몇몇은 서운함을 내비쳤습니다. 그리고 그 날카로운 서운함은 저에게로 와 콕 하고 박혀버렸죠.

“다들 힘들게 살아.”
“왜 너만 헐떡거리냐.”
“그럴 때일수록 사람을 만나고 풀어야지.”

틀린 말은 아니었습니다. 하지만 다들 힘들다는 그 말이, 왜 나만 헐떡이냐는 그 말이 너무도 날카로웠습니다. 평소였다면, 너털웃음 지으며 넘겼을 그 말이 평소가 아닌 날들 속에 갇힌 저는 그냥 넘길 수 없었습니다. 너털웃음 대신 더 날카로운 말이 내뱉어졌습니다.

큰 위로를 바란 건 아니었습니다. 그저 '조금은 이해해 주겠지.' 하는 작은 기대가 있었을 뿐이죠. 하지만 그 기대는 헛된 것이었는지, 어느새 저는 인정머리 없는 사람이 되어있었습니다.

그들의 말이 맞을지도 모릅니다. 분명 나만 힘든 건 아니겠죠. 다들 힘들게 살아가고, 살아내고 있을 겁니다. 하지만 그들의 삶은 그들의 삶이고, 나의 삶은 나의 삶일 뿐입니다. 그들이 나의 삶을 대신 살아주고, 버텨주는 게 아니듯 나 또한 그들의 삶에 백퍼센트 공감하고 버텨줄 수 없습니다.

그저 내가 내 삶이 버겁고, 내가 내 삶에 지쳤을 뿐입니다. 그들이 어떠한 방식으로 힘듦을 풀어내는지는 크게 중요하지 않습니다. 어디서부터 잘못된 것인지는 모르겠지만, 바쁘다 바빠 현대사회에서 살아가는 현대인의 삶이 정말 고달프다는 건 사실인 듯합니다.

사람을 만나는 것도, 시간을 내어 길을 나서는 것도, 누군가에겐 큰 힘이 드는 일일지도 모른다는 걸 다시 한번 생각하게 됩니다. 그리고 지금껏 저와의 만남을 위해 그 힘을 내어준 모든 이들에게 큰 감사의 인사를 드립니다.

고맙다! 현대인이여!

퇴사_최종.hwp

나를 위해 선물해 준 적이 많지 않습니다.

기억에 남는 건 작년 크리스마스 때 만화 『미생』 전집을 중고 거래를 통해 오만 원 남짓에 산 것? 그 정도 말고는 크게 무엇을 사지 않았습니다. 돈 쓰는 것도 써본 놈이 쓴다고 했나요? 써본 적이 많이 없는 저에게 소비란 항상 떨리는 것이었습니다. 내가 이걸 써도 되나? 이걸 사도 되나? 하는 물음이 지갑 속 카드를 집기 전에 항상 드는 생각이었죠. 그렇다고 스크루지 영감처럼 짠돌이는 아닙니다. (아마?) 만져지는 물건보다는 입으로 들어가는 음식에 투자를 더 많이 할 뿐이죠.

그러던 중 나를 위해 자그마한 선물을 해주고 싶다는 생각이 들었습니다. 사실 몇 달 전부터 애플워치가 너무 갖고 싶었거든요. 지하철을 탈 때마다 사람들의 손목엔 번쩍이는 애플워치가 있었고, 그 모습을 본 저도 갖고 싶었습니다. 제 손목에도 분명 시계가 채워져 있었지만, 스마트하진 않았거든요. 자그마한 계산기가 붙어있는 메탈 소재의 각진 시계인데, 그들의 스마-트한 시계 앞에선 세상 초라해 보였습니다.

그래서 스마트한 시계를 살 수 있는 홈페이지를 들락날락하길 몇 번이나 반복했습니다. 하지만 이내 사길 포기했죠. 포기라는 단어는 조금 그러니, 사길 접었다고 하겠습니다. 아무리 생각해도 나에게 꼭 필요한 물건이라는 생각이 들지 않더라고요. 글쎄요.

모르죠. 이 글이 세상에 나온 후 제 손목에 애플워치가 끼워져 있을 수도? 하지만 글을 쓰는 지금까지 제 손목엔 스마트한 애플워치는 아직 없습니다.

시계 말고 다른 것이라도 사고 싶었습니다. 그러던 중 평소 눈여겨보던 스타일의 핸드폰 케이스가 좋아하는 브랜드와의 협업으로 '한정판' 제품을 내놓는다는 거 아니겠어요? 평소 같았으면 안 샀을 테지만, 스마트한 시계를 포기한 저는 아날로그 감성이 물씬 풍기는 핸드폰 케이스를 삼만 원 조금 넘는 가격에 구매했습니다. 그리고 며칠 뒤 택배를 통해 무사히 집에 도착했고, 지금 제 핸드폰을 튼튼하게 지켜주고 있답니다. 삼만 원. 클 수도, 작을 수도 있는 돈이지만, 그래도 알차게 썼다는 생각이 듭니다. (진짜 스크루지 영감 아닙니다...)

그리고
다른 일로 비슷한 금액을 썼습니다.
이번엔 살까 말까 망설이는 시간도 없이

흔쾌히! 소비했습니다. 소비라기보단 진료비를 정산했다는 표현이 더 정확할지 모르겠습니다.

며칠 전부터 왼쪽 손목이 후끈후끈하며 아팠습니다. '한두 번 그러다가 말겠지.'라는 생각에 그냥 넘겼습니다. 평소와 다름없이 키보드 위에서 미친 듯이 움직이던 제 손가락과 그 손가락을 받쳐주는 손목이 이상하다는 것을 느꼈습니다. 손을 들어 확인해보니 손목과 손목부터 이어지는 손바닥이 벌겋게 달아올랐고 퉁퉁 부어있었습니다. 그리고 조금 비틀어 보니 "악!" 소리가 절로 나더군요. 상황이 심각했습니다.

바로 다음 날. 아침 일찍 정형외과를 찾았습니다. 깐깐해 보이는 의사는 손목 어디가 아프냐며 제게 물었고, 잔뜩 겁먹은 저는 "요기..." 라고 가리켰습니다. 그러자 한 번 확인한 의사는 "요기요?" 하며 그 부분을 꽈악 눌렀고, 저는 양발을 하늘 위로 높이 쳐들며, "아파욧!" 하고 소리쳤습니다.

"아 아프세요?"

"?"

'아프니까 내가 당신 앞에 있는 거 아닌가. 당연히 아프다.' 라고 정색하며 말하고 싶었지만 착한 환자이고 싶었던 저는 "네... 너무 아파요..."라고 소곤댔습니다. 그러자 깐깐징어 의사는 반대로 제 손을 꺾으며 "이러면 어떠세요?"라고 하는 것 아닌가.

'일부러 이러는 건가?'

아니, 살짝만 눌러도 아픈데 그걸 그렇게 꺾으면 저는 어떻게 반응해야 할까요? "아 살짝 누르면 양발을 하늘 높이 쳐들 만큼 아픈데, 그 부분을 그렇게 꺾으시니 양발로는 모자라 엉덩이까지 들썩들썩할 정도로 아프군요!"라고 말해야 하나요? 물론 그러지 못했습니다. 그 대신 "네 너무너무 아파요."라고 조금은 단호하게 이야기했습니다. 그러자 의사는 엑스레이를 찍어 보자 했고, 태어나서 처음으로 손 엑스레이를 찍었습니다.

뼈 사진을 한참 들여다보던 의사는 더 깐깐하게 "석회가 낀 것 같은데 원래 이게 엑스레이상으론 잘 안 보여요. 초음파 한번 찍어 보시죠." '초음파?' 태어나서 한 번도 경험해 본 적 없는 의료행위에 덜컥 겁이 났습니다. 어리숙한 환자로 보고 덤탱이 씌우는 건 아닌가 하고 의심도 했습니다. 하지만 그 겁과 의심은 의사의 단호한 판단을 이기지 못했고, 텔레비전에서나 보던 초음파 검사를 했습니다. 결과를 보던 의사는 "네 이쪽, 보이시죠. 환자분 뼈와 뼈 사이에 검은 이 부분. 여기가 석회예요. 심하네요. 심하지 않으면 물리치료랑 약물로 치료하면 되는데 이런 분들은 주사 맞는 게 나아요. 아 물론 선택은 환자분이 하시지만요."

'선택? 지금껏 나에게 선택의 기회가 있었나? 난 그저 당신의 안경 너머 단호한 검은 동자에 이끌려 선택당한 것뿐이라고! 이 깐깐징어야!' 라는 생각이 잠시 머릿속을 스쳤지만 정작 입으로 나간 말은 "손목에 주사는 안 맞아봤는데, 많이 아픈가요?" 였습니다. 의사는 살짝 따끔하다는 말과 함께 간호사에게 주사를 준비해달라 했고, 준비된 주사는 초음파 사진 속 검은 그 부분에 정확히 꽂혔습니다.

따끔보다는 따아아아아아아아끔 이었던 그 짧고도 긴 시간이 흐르고 3일 치 약을 처방 받았습니다. "손목 보호대 챙겨드릴 테니까 샤워할 때나 주무실 때 빼고는 꼭 끼고 계세요. 손목 쓰지 마시고요. 아 그리고 6층 올라가셔서 물리치료도 받고가세요." 깐깐징어 의사는 생각보다 섬세했습니다. 떨리는 마음에 진료실을 나온 저는 태어나서 처음 손목 보호대를 찼습니다. 그리고 접수창구로 돌아가 수납했습니다.

며칠 전에 산 핸드폰 케이스 가격과 거의 같은 진료비. 처방전과 영수증을 주섬주섬 챙겨 6층으로 올라갔고, 편안한 침대에 누워 물리치료를 받았습니다. 물론 물리치료도 태어나서 처음이었습니다. 따뜻한 침대에 누워 생각했습니다.

'이게 뭐지.'

태어나서 단 한 번도 제 손목뼈 사이에 석회가 끼어 본 적이 없었습니다. 의사는 과도한 키보드 사용이 원인이라 했습니다. 제 일상을 알지 못하는 의사가 한 말이었지만, 그 말이 맞는 것 같습니다. 일하기 전엔 이렇게 오래 키보드를 사용해 본 적이 없었으니까요. 매일같이 일하며 얻은 게 튼튼한 핸드폰 케이스와 부실한 손목뿐인 듯했습니다. 따뜻하지만 딱딱한 치료용 침대에 누워있는 제가 너무 불쌍해 보였습니다. 무엇을 위해 이렇게 사나 싶었습니다. 아무리 일찍 출근하고, 아무리 늦게 퇴근해도 일은 끝나지 않았습니다. 두통약과 소화제는 비타민 먹듯 먹었습니다. 몸도 마음도 피폐해지는 매일이었습니다.

결심했습니다.

그만두자.
그만하자.

그동안 주변 사람들에게 힘들다고 이야기는 많이 했었지만, 그만두겠다고 이야기하지는 않았습니다. 그래도 일 년은 버텨야 하지 않겠냐는 세상의 기준이 너무 크게 다가왔었거든요. 하지만 그깟 기준은 이제 더 이상 중요하지 않았습니다. 일 년을 채워야 다음 직장을 구할 때 스펙 한 줄 더 쓸 수 있다는 말. 그래도 일 년은 버텨야 퇴직금을 받을 수 있지 않겠냐는 말. 일 년도 못 버티는 사람 아무 곳에서도 안 써준다는 말. 그깟 말은 그저 그깟 말이었습니다. 그들은 내가 지난 수개월간 얼마나 힘들었는지 모릅니다. 잘 맞지 않은 옷에 내 몸을 맞추어 입는 게 얼마나 힘든 일이었는지 그들은 모릅니다.

그러다 문득 과거의 나는 어떻게 생각했는지 궁금해졌습니다. 집으로 돌아와 책장 속 얌전히 쉬고있는 『싱숭생숭 집에가자』를 꺼

냈습니다. 그리고 뒷부분으로 휘리릭 넘겨 읽고 싶은 부분을 찾았습니다.

큰 톱니바퀴 속 하나의 작은 톱니가 되어 날마다 똑같은 방향으로 돌아야 하는 삶을 살고 싶지는 않다. 누가 그런 삶을 살고 싶어 하겠냐만, 그런 삶을 많이 지양한다.

큰 목표를 가지고 있는 공동체에 속해 공동의 목표 달성을 위해 하루하루를 살아야 하는 직장이라면 아무리 많은 보수를 받는다고 하더라도 들어가고 싶지 않다. 비록 적은 보수를 받는 한이 있더라도 내가 직접 나의 그림을 그릴 수 있는 직장이길 바라고, 혹 그런 직장이 나를 원하지 않는다면 더 작고 미미할지라도 나만의 공간에서 내가 꿈꾸는 그림을 그리고 싶다.

(중략)

당장 내일 일도 모르는 게 사람 인생이라지만, 아직 나의 내일엔 정장을 입고 출근하

는 모습은 없다. 왁스로 정돈된 머리보다는 부스스한 파마머리를 하고 싶고, 다림질로 빤빤한 정장 바지 보다는 살짝 얼룩 묻은 낡은 청바지를 입고 싶다.

『싱숭생숭 집에가자』
서른 즈음에 나의 길을 걸어가는 나란 놈 中

과거의 나는 오늘의 나보다 현명했습니다. 과거의 나는 내가 무엇을 원하는지 알고 있었습니다. 그리고 오늘의 나에게 그 모습을 다시 한번 보여줬습니다. 다른 사람이 뭐라고 하든 그건 중요하지 않습니다. 과거의 내가 미래의 나를 걱정하며 오늘의 나에게 건네는 말이 더 중요했습니다.

다시 한번 결심했습니다.
하겠습니다.

퇴사!

온전한 내가 된다는 건

온전한 내가 된다는 건 생각보다 어려운 듯합니다. 내가 바라는 나의 모습. 남이 바라는 나의 모습. 바라는 모습이 아닌 그저 있는 그대로의 내가 되는 게 어떤 건지 잘 모르겠습니다.

애매한 서른이 되어가는 지금. 생각은 십대의 생각보다 말랑하고, 고민은 깊어만 갑니다. 오롯이, 그리고 온전히 바로 선 내가 되고 싶습니다.

퇴사_진짜 최종.hwp

퇴사를 결심한 후 몇 달이 지났습니다.

그간 많은 일이 있었고 그 많은 일들이 이리 가는 제 마음을 저리 가게 하기도, 그 반대로 움직이기도 했습니다. 하지만 이번엔 진짜 최종 최종 최종입니다. 여러 단계의 퇴사 면담을 마쳤습니다. 처음 결심 했을 때보다는 시간이 많이 흘렀지만, 그래도 첫 단추를 끼우고 나니 후련합니다.

엄마에게 이런 질문을 한 적이 있습니다.

"엄마는 작년에 언제 제일 행복했어?"

잠시 뒤,

"지금은 많이 힘들어하지만, 우리 아들이 면접에서 붙었다고 전화했을 때? 그때 가장 행복했지."

가장 행복한 순간이 막내아들의 취업 소식을 전화로 전해 들었을 때라고 말하는 엄마에게 1년 만에 퇴사하겠다고 단호히 전화한 아들이 바로 접니다. 하하.

그럼에도 불구하고, 엄마는 응원해줬습니다. 대충대충 일하는 성격이 아닌 것도 알고, 충분히 고민해서 내린 결정이라는 것을 안다고 말이죠. 주말에 집 내려와서 맛있는 거 먹자고.

퇴사를 결심하기까지, 조금 더 정확히 하

자면 제 입에서 '퇴사'라는 단어가 나오기까지 정말 많은 일이 있었습니다. 그 일엔 사람도 물론 끼어 있었습니다. 사람 때문에 버텼고, 사람 때문에 버틸 수 없다고 느꼈습니다. 모든 순간이 완벽했다고 말할 순 없습니다. 십 년 이십 년 넘게 그 일을 해온 사람들의 시선에선 일 년밖에 버티지 못하고 떠나는 직원이 달가워 보일 수 없습니다. 부족함이 많이 보일 테고, 그 부족함을 메우려 노력하지 않는다고 생각할지도 모를 일입니다.

그런 시선과 판단이 무서워 버텼습니다. 하지만 버팀은 지치기 마련입니다. 지침은 또 다른 지침을 가지고 오고, 더 이상 서 있을 수조차 없을 때 이르러서야 입 밖으로 '퇴사'라는 단어를 뱉어 내게 됩니다.

이제 끝을 바라봅니다.

태어나 처음 목에 맨 사원증을 서랍 속에 넣을 순간이 다가오고, 취향 가득 꾸며 놓은

자리를 원래의 모습으로 돌려놓을 순간이 다가옵니다.

아쉬움은 있지만, 후회는 없습니다.

분명 이 시간이 값지게 쓰일 순간이 올 거라 믿습니다.

오늘은 맛있는 커피를 마시며, 좋은 음악을 듣고, 따뜻한 전기 매트 위에서 포근히 자려 합니다.

그 정도는 해도 될 것 같습니다.

세상에 당연한 것은

세상에 당연한 것은 (거의) 없다.

당연히 있어야 할 곳에
당연히 있기 위해
부단히 노력하는 사람이 있고

당연히 없어야 할 것은
당연히 없기 위해
끊임없이 노력하는 사람만이 있다.

당연한 것을 당연하게 여기는 순간

그때, 그곳은

더 이상 당연하지 않은 때와
당연하지 않은 곳이 되고 만다.

모든 것을 당연히 여기는 곳에서

당연하게 여겨지는 일을
당연히 해내지 못하는 사람은

그저
언제든 갈아치울 볼트 1, 볼트 2
혹은, 너트 1, 너트 2가 될 뿐이다.

오직 당연한 것은
나는 볼트도 너트도 아니라는 것이다.

세상에 당연한 것은

오직

그뿐이다.

모던하게 무던한

매주 일요일 같은 시간대에 오는 곳이 생겼다.

집에서 멀지 않은 곳이기도 했고, 요즘 한창 빠져있는 필터 커피를 다루는 곳이기도 했다. 많이는 아니지만 매주 같은 날 같은 시간에 오는 이유에는 몇 가지가 있다.

일단 커피가 맛있다. 카페니까 그건 기본이긴 하나, 뭐든 기본을 잘하기란 어려운 거니까. 그리고 이곳의 공간 지기는 과하지 않은 친절을 베푼다. 커피에 대해, 원두에 대해 잘 설명해주지만, 그 친절함이 과하지 않다.

아마도 이 부분이 나에게 크게 다가온 듯하다. 무던한 친절함. 맞다. 무던하다. 내가 가장 갖고 싶어 하는 능력. 모던하게 무던한 공간과 그 공간을 지키는 바리스타가 내려주는 커피.

퇴사를 결심하고 여러 차례 면담을 끝낸 다사다난했던 주중을 무던한 이곳에서 털어놓는다. 바리스타 두 명은 얼마나 많은 사람의 다사다난을 받아내고 있을까. 그들이 내리는 커피엔 힘이 있다. 그 힘을 다음 이 시간에도 받으러 올 테다.

이얏!

꼬리에 꼬리를 무는 그날 이야기?

자신만의 길을 가는 사람을 존경한다.

그전에, 자신을 알고, 길을 아는 사람은 더 존경한다.

아는 것도 대단한데 그 길을 가기까지 하다니. 지금껏 살아온 나라는 사람은 나를 아는 걸까? 내가 가고 싶은 길. 내가 가야만 하는 길을 아는 걸까?

그래. 안다치자. 그럼 나는 그 길을 뚜벅뚜벅 걸어갈 수 있을까? 걷고 싶은 마음이 있을까? 홀로 가더라도 갈 수 있을까? 길이 험하고 무서워도 갈 수 있을까?

꼭 어디론가 가야만 하는 걸까? 어딘가로 가야만 성공이라는 걸 할 수 있는 걸까?

이러다가는 데카르트나 플라톤이 될지도 몰라.

생각은 여기까지 해야겠다.

섬 속의 섬이라 불리는 곳

우도에 왔다. 섬 속의 섬이라 불리는 깊숙하고 아늑한 곳.

예전에, 그러니까 정확히는 2018년 여름에 오고 두 번째다. 2018년의 우도는 나에게 눈물받이였다.

부산이 좋아 무작정 혼자 부산으로 내려갔었다. 부산 한 복판 네온사인 숲속에 덩그러니 놓인 프랜차이즈 카페에서 일했다. 직원한 명이 감당하기엔 에피소드(사건 사고에 가깝다)가 너무 많은 곳이었다. 매일 밤 얼큰하게 술에 취한 사람들은 물론이고 사과를 깎아 먹을 테니 칼 좀 빌려달라는 손님도 있었다. 사람만 에피소드의 주인공이 아니다. 말이 통하지 않는 작은 회색빛의 꼬리가 긴 생물도 간혹. 음. 자주 나타나 공간의 적막을 헤집곤 했다.

매일을 그런 전쟁 통에서 보내며 이대로는 안 되겠다 싶었다. 일도 일이지만 사람 관계도 틀어질 대로 틀어졌었고, 몸도 마음도 지쳐 한동안 엘리베이터를 타지 못했다. 계단 밑에 쭈그리고 앉아 거친 숨을 들이마시고 내쉬는 일이 일상인 나날이었다.

그때 찾은 곳이 깊숙하고 아늑한 섬 속의 섬 우도다.

우도에서 가장 높은 곳에 올라 명치 끝부터 모든 것을 흘려보냈다. 설움도 울음도 남김없이 모두 흘려보냈다. 깊숙하고 아늑한 우도는 모든 걸 받아주는 듯했다.

다시 일터로 돌아와 매일을 살아냈다. 내일, 내일의 내일, 또 다른 내일의 내일이 지나 오늘이 되었다. 오늘의 우도는 여전히 사람이 많고 여전히 인기가 많다. 하지만 그게 싫지만은 않다. 사람의 발길이 덜한 곳으로 조금 더 깊숙이 들어가면 그 어느 곳보다도 아늑하니까.

우도는 나에게 그런 곳이다.

살을 덜어내며 삶을 더합니다

다이어트를 하고 있습니다.

사실 다이어트라기엔 많이 부족하고, 그동안 이것저것 집어넣었던 음식들에 이것도 빼고, 저것도 빼는 일을 해보고 있습니다.

짜고 매운 음식을 조금 줄이고, 슴슴하고 하얀 음식을 조금 늘렸습니다.

한가득 담았던 밥을 한 스푼 덜어내고 있

습니다.

얼마 정도 이렇게 바꿔보고 덜어보니 생각보다 맛있고 배도 부릅니다.

왜 몰랐을까요.
알지만 모르는 척했던 걸까요.

강렬하지 않아도,
가득 채우지 않아도,
조금 모자라도 충분하다는 것을요.

살을 덜어내며 삶을 더합니다.

요즘.

한 줄, 한 글자, 한 여백을
소중히 읽고 있습니다

시를 읽고 있습니다.

시를 읽고, 그 전에 시집을 사고, 그 그전에 서점에 가고. 모든 발걸음과 손짓, 눈짓, 순간이 소중합니다.

특히 시집을 사러 가는 그 순간은 조금 더 설레, 조금 덜 빨리 가려 합니다.

조금씩 조금씩 걷고, 살펴보고, 들어보고,

느끼며 서점 문을 엽니다. 익숙한 듯 새로운 향. 딸랑이는 종소리. 조용한 친절 속의 서점을 구석구석 살펴봅니다.

사실 마음에 둔 책은 있는데 말이죠. 혹시 모르니까요. 새로이 마음에 둘 책이 톡 하고 튀어나올 수 있는 곳이 서점이니까요.

시를 읽고 있습니다.

한 줄, 한 글자, 한 여백을
소중히 읽고 있습니다.

그러면 혹시 아나요.
작가의 호흡과 나의 호흡이 비슷해질지.

내일은 주말이지만

세상엔 대단하고 멋진 사람이 참 많아

굳이 나까지 대단하고 멋질 필요가 있을까?
싶다가도

나라고 대단하고 멋지지 말란 법이 있을까?
하는

그제 어제 오늘을 보내고

내일은 주말이지만 알람을 맞춰 보았다.

백수한테 무슨 주말이야! 하는 마음과
꾸준히 부지런한 매일을 살고 싶은 욕심의
콜라보랄까!

무럭무럭 자라고 잘하자.

잘 자

질풍노도의 스물아홉을 보내고 있습니다.

아무래도 열 네 살에 오는 걸 깜빡한 사춘기가 지금 온 것 같습니다. 나는 누구인가. 여긴 어디인가. 우리는 무엇 때문에 사는가 하는 물컹한 질문이 베개 밑에 흩어져 있습니다. 그 질문은 아침, 밤 할 것 없이 머릿속에 가득합니다. 힘들게 헤쳐나와 일상을 보내봅니다.

무사히 보내는 듯 하나 일상의 새로운 고민은 온몸 구석구석에 들러붙어 방 안까지 들어옵니다. 깨끗이 씻고 잘 준비를 합니다. 흩어진 고민과 새로이 모인 고민은 이때다 싶어 머릿속을 간지릅니다.

수많은 질문들이 소리 없이, 끊임없이 주어집니다. 어떤 질문엔 답을 하기도 하지만, 대부분의 질문엔 답을 하지 못합니다. 그 질문에 답이 있는 건지도 모르겠습니다.

그렇게 오늘의 밤을 새롭게 시작합니다. 몸은 잠이 들지만, 맘은 잠에서 깨어납니다. 깨어난 맘은 잠든 몸을 다시 깨워 잠들지 못하게 합니다. 몸은 왼쪽으로 오른쪽으로 아래로 위로 바라보는 방향을 바꿔봅니다.

맘은 그런 몸을 비웃기라도 하듯, 오른쪽으로 왼쪽으로 위로 아래로 방향을 바꿉니다. 엉켜버린 몸과 맘은 서로를 탓해봅니다. 누구의 탓도 아닌 나의 밤은 그렇게 밝아옵니다. 그리고 다시 몸을 일으켜 아침을 맞이

합니다.

사랑하는 사람에게 '잘 자'라는 한 마디를
소중히 건네고 싶습니다.

사랑하는 사람에게 '잘 자'라는 한마디를
소중히 건네받고 싶습니다.

그렇게 매일을 살아냅니다.

더 뒤를 보았다가는
목이 돌아갈 것 같다

무엇이든, 어떤 것이든,
몰두하고 열중한다는 것은 대단하다.

스스로 무언가에 풍덩 빠져 어떤 동력도 필요로 하지 않고 나만의 힘으로 헤엄치는 사람들을 마주할 때가 있다. 물론 그들에게도 때로는 바람이, 때로는 파도의 도움이 필요하겠지.

하지만 알맞은 바람이 불고 알맞은 파도가

다가와도 헤엄치는 사람의 힘과 의지가 없다면 그저 지나갈 뿐이다. 누구에게나 그 바람과 파도가 오는지는 잘 모르겠다.

뒤도 돌아보고, 앞도 살짝 내다보면서 숨을 고른다.

나는 동력이 있는지 동력을 만들 의지는 있는지 바람과 파도를 만났을 때 겁먹지 않고 즐길 수 있는지.

다시 한번 뒤를 돌아보았다.

뒤를 돌아보니 그때의 나는 바람을 피했고, 파도는 멀찌감치에서 바라만 봤다. 한번쯤 가만히 서 있어 볼까 싶지만, 더 뒤를 보았다가는 목이 돌아갈 것 같다.

이번에는 살짝 미간을 찡그려 앞을 보았다. 앞서가는 나는 몰두하고 있는지. 바람과 파도를 충분히 즐기고 있는지. 잘 보이지 않는다. 그래도 조금 더 미간을 찡그려 앞을 보려 한다. 비록 두 눈썹 사이 주름은 깊어지겠지만, 목은 돌아가지 않겠지 하며.

그래, 앞을 봐야겠다.

"흰 천과 바람만 있으면 어디든 갈 수 있어!"라고 외치며, 이불킥 하더라도 앞을 봐야겠다.

한 끗

솔직하게 말하는 것과
직설적으로 말하는 것

주관이 명확한 것과
고집을 부리는 것

남에게 관심을 갖는 것과
남에게 참견하는 것

나만의 시간이 필요한 것과

나만의 시간만 중요한 것

수많은 한 끗 차이가 모여 나를 이룬다.

요즘 문득 나는 전자인가 후자인가 고민한다. '항상 같을 순 없지!' 하며 고민을 멈추다가도 다시금 생각한다. 나를 이루는 수많은 한 끗들을 바라본다. 때로는 그 직면이 두렵지만, 그래도 바라본다.

많이 두려울 땐 흘깃 본다.

나는 당신에게 솔직했는지
나는 당신에게 고집을 부리지 않았는지
나는 당신에게 부드러운 관심을 가졌는지
나는 당신의 시간을 충분히 존중했는지

확신할 순 없지만, 그렇게 당신을 바라보았고 대하지 않았을까 하는 바람으로 흘깃 바라본다.

타이레놀

손이 닿는 곳엔 항상 타이레놀이 놓여있습니다. 방 안 책상 서랍 속에도 하나. 자주 메는 백 팩 앞주머니에도 하나. 등에 메기보단 손에 들고 싶을 때 드는 가방 안에도 하나. 어디에서라도 두통이 찾아올 때면 한 알 톡 뜯어 삼키기 위한 철저한 준비랄까요.

머리가 아프면 하루가 아픕니다. 날 선 종이에 손가락을 베이는 것도 쓰리고, 돌부리에 걸려 넘어져 무릎이 까지는 것도 눈물

나지만, 머리가 아프면 하루가 아픕니다. 도무지 정신을 차리지 못합니다. 특히 계속 아픈 쪽이 있습니다. 정면을 바라보고 있을 때를 기준으로 머리를 반으로 나눠(상상으로) 왼쪽에서 뒤쪽. 그쪽이 항상 많이 아픕니다. 때로는 그쪽 말고도 여러 쪽이 아프기도 합니다. 도무지 내 머리인데 내가 예측할 수 없을 때, 예측할 수 없는 장소에서 말이죠.

그럴 때마다 손이 닿는 곳에 놓인 타이레놀 상자 속, 한 알을 톡 하고 꺼내 물과 함께 삼킵니다. 사실 톡 하고 꺼내기엔 타이레놀은 상당히 안전해서 손톱을 이용해 얇은 듯 두꺼운 은색 비닐을 벗겨내야 합니다. 그 과정을 비로소 거치고 나서야 손바닥엔 흰색의 타이레놀 한 알이 톡 하고 주어질 수 있습니다.

정말 두통이 심할 때는 서랍을 열거나 가방 지퍼를 열고, 타이레놀 상자를 열고, 비닐을 벗기고, 손바닥에 톡 하고 떨어뜨리는 과정이 버겁습니다. 그냥 다 뜯어놓고 흰색 큰 통에 담아 놓을까 생각도 했었습니다. 하지만 그렇게 먹으면 비극의 주인공처럼 약 없이는 살 수 없는 사람이 될까 봐 생각에서 멈췄습니다.

그 덕에 항상 신선한 타이레놀이 제 몸속으로 들어옵니다. 산지 직송은 아니지만, 방금 비닐 속에서 뜯어낸 팔팔한 놈으로 말이죠.

그래도 이제 조금 줄여보려 합니다. 하얗고 작은 그 친구 없이 하루하루를 보내 보려 합니다. 조금 더 건강한 내 몸을 위해서요. 스트레스는 조금 덜, 고민도 조금 덜, 두통약도 조금 덜 하고 그 빈자리에 무언가를 채우지 않으려고 합니다.

머릿속에 빈자리 몇 곳은 두어야 할 것 같습니다. 빈자리를 빈자리로 두는 게 쉽지만은 않지만, 한번 해보려 합니다. 조금 비워도 큰일 나지 않는다고 생각하려 합니다.

이제는 말 할 수 있습니다

요즘 일과 중 카페가 빠지는 날은 거의 없습니다. 사실 요즘 하루의 대부분은 카페에서 이루어지고 있습니다.

아침에 일어나 가볍게 조깅을 하고 간단하게 아침을 차려 먹습니다. 직접 만든 정갈한 식사라면 더 좋겠지만, 좁디좁은 부엌에서 무언가를 만들긴 쉽지 않다는 비겁한 변명으로 얻어낸 엄마표 집 반찬으로 아침 식사를 합니다.

아, 식사 전에 샤워를 하기도하고 식사 후에 샤워하기도 합니다. 그날 조깅을 열심히 했다면 식사 전에 하고, 그렇지 않다면 식사 후에 합니다. 참 이럴 때 보면 우리 몸은 거짓말을 하지 않습니다. 움직인 만큼 땀으로 보여주니까요.

순서야 어찌 되었든, 그렇게 아침 일과를 마치면 오후엔 어디를 가볼까 인스타그램이나 네이버를 뒤적입니다. 혹시 내가 놓친 좋은 공간이 있을까. 정말 맛있는 커피를 내어주는 공간일까. 다른 사람의 대화 소리는 조금 덜 들리고, 나지막한 음악 소리는 조금 더 들리는 공간일까. 몇 가지 기준을 바탕으로 새롭게 가볼 카페를 정합니다.

그리고 대충 그곳의 장소를 상상해 봅니다. 인스타그램에 써 내린 사장님의 글이나, 사진을 통해서 어떤 느낌일지 그려봅니다. 내가 그곳에서 책을 읽는 게 좋을까. 아니면 간단히 노트북으로 작업을 하는 게 좋을까. 온전히 커피 맛에만 집중하며 시간을 즐기는 게 좋을까. 또다시 몇 가지 기준을 바탕으로 가방을 주섬주섬 챙깁니다. 책을 읽기 좋은 공간이라면 책을. 작업하기 좋은 공간이라면 노트북과 충전기를. 커피 맛이 기똥찰 것 같은 공간이라면 양손은 가볍게.

길을 나서며 기대합니다. 상상한 모습 그대로일까. 아니면 그보다 더 좋을까. 그도 아니면 기대에 미치지 못할까.

도착한 카페에서 커피를 마시고, 책도 보고, 작업도 합니다. 카페의 결이 나와 잘 맞는다면 그날의 기분도 잘 흘러갑니다. 만약 그 반대라면 그날의 기분도 반대로 흘러갑니다.

결이 맞는 공간을 항상 찾고 있습니다. 이리저리 헤매다 비슷한 결을 찾으면 그곳을 자주 방문 합니다. 자주 방문 한다고 해서 사장님과 친구처럼 대화하거나 근황을 묻거나 하진 않습니다. 소심한 ENFP의 특징인 듯합니다.

언제가 될지는 모르지만, 내가 만든 공간에서 다른 사람들도 비슷한 결을 느낄 수 있길 꿈꿉니다. 그게 언제일지, 어디일지, 어떤 모습일지 모르지만, 몰라서 조금 더 설렙니다. 하나하나 그려 나갈 수 있으니까요.

그곳에서도 소심한 ENFP의 성격대로 무작정 다가가지 않고 은근슬쩍 스리슬쩍 다가가는 사람이 되고 싶습니다.

그런 공간을 만들고 싶고, 그런 사람이 되고 싶은 것.

"얘~ 넌 커서 뭐 되고 싶어? 꿈이 뭐야?"

누군가가 나에게 물어본다면 이제는 말할 수 있습니다.

부디

'만약 신이 있다면' 하고 생각할 때가 있다. '모든 것을 만들고 모든 것을 훤히 꿰뚫는 절대적인 존재가 있다면' 하고 생각할 때가 있다.

몽상일 수 있지만, 그럼에도 그럴 때가 있다. 만약 있다면, 이런 일이 벌어지지는 않았겠지. 이 사람이 죽진 않았겠지. 저 사람은 당연히 벌을 받아야 했는데 왜 멀쩡하지. 같은 생각은 덜 할 수 있었을까.

나약하고 불완전한 인간의 생각이라며 모든 건 신의 뜻이 담겨 있고 우리는 순종해야 한다고 말할 수 있다. 순종. 순순히 따른다. 따르는 것도 쉽지 않은데 게다가 순순히! 정말 쉽지 않다.

주변을 살펴보았다. 누군가는 이 신에게 순종하고, 또 다른 누군가는 저 신에게 순종하는 삶을 살고 있다. 사실 그들이 진정으로 순순히 따르고 있는지 나는 알지 못한다. 겉으로는 순순히 따르고 있는 듯 보이나 그 속은 수많은 고민과 유혹들이 있을지도 모를 일이다. 그럼에도 불구하고 내가 보기에 그들은 순종하는 듯하다. 그럴듯해 보이는 것도 무척 힘들고 대단한 것이니 난 그들을 존경한다.

'부디 신이 있기를' 하고
생각할 때가 있다.

'모든 슬픔을 거두어 가고, 모든 아픔을 낫게 해주는 절대적인 존재가 있다면' 하고 생각할 때가 있다. 몽상일 수 있겠지만, 그럼에도 그럴 때가 있다.

부디 있기를.

부디 이 슬픔을 조금만 거두어 가기를, 그게 힘들다면 왜 슬퍼야 하는지 이유라도 알려주기를 바랄 때가 있다. 예측하지 못한 슬픔은 날 당혹게 한다. 예측하지 못한 때와 예측하지 못한 장소에서 맞닥뜨린 슬픔의 크기는 무척이나 크다. 그럴 때마다 생각한다. 그리고 바란다.

부디 신이 있기를. 그 신이 어떤 이름으로 인간에게 불리는지는 중요하지 않다. 어떤 방식으로 숭배되는지도 중요하지 않다. 그저 그 존재가 나를 알아주길 바란다. 이기적이지만 내 슬픔과 외로움을 다른 이들보다 먼저 알아주길 바란다.

만약 있다면,
부디 있기를.

그리고 그 밖에

단맛, 신맛, 쓴맛. 그리고 그 밖에.

같은 것을 두고 혀를 굴리며 사람들은 다른 것을 느낀다. 조금 더 굴려본다. 이게 단맛인가? 아, 이건 쓴맛인 것 같아. 좀 텁텁한가. 때로는 쓰기만 하기도, 또 때로는 오만가지 향미가 가득하기도 한 검은색 물을 마신다. 복잡미묘한 요지경 같은 맛이 가득한 그 액체가 주는 쾌감은 꽤나 딥하다. 오늘은 또 어디를 가볼까 하며 눈을 굴린다.

이번엔 또 어떤 맛이 톡하고 튀어나올까 기대하며 혀를 굴려본다. 오답 없는 맛을 찾는 이 행위는 요지경 같은 세상을 살아내는 나에겐 꽤나 덥하고, 꽤나 의미 있는 일이 된다. 내일이 기대된다.

어제의 내일이 오늘이 되었다. 잠들기 전 미리 생각해 놓은 곳을 가기 위해 바지런히 움직인다. 집을 나서 지하철역으로 향한다. 역으로 가는 길은 다양함이 넘친다. 말 그대로 요지경 속 세상이다. 오래된 동네에 사는 특권이라고나 할까. 철물점, 지물포, 세탁소는 물론이고 부동산보다는 복덕방이 어울리는 동네다. 익숙하지만 하루하루가 새로운 동네를 지나 지하철에 몸을 맡긴다. 오늘 갈 곳은 4호선을 타고 쭉 가다가, 삼각지역에서 6호선으로 환승해야 도착하는 곳 이다.

새로운 동네에 오면 모든 게 새롭다. 이곳은 복덕방보다는 부동산이 어울리는 동네인 것 같다. 저 멀리는 높은 빌딩들이 보이고, 주변엔 높진 않지만 깔끔한 건물들이 주르

르 서 있다. 건물 틈을 비집고 들어가 목적지를 찾았다. 너른 정원을 지나 건물 안으로 들어섰다. '대부분 문을 열자마자 주문할 수 있는 곳이 있지 않나?'라는 생각이 바로 들었다. 하지만 1층 이곳저곳을 아무리 둘러보아도 주문할 수 있는 곳은 없어 혹시나 하는 마음에 한 층 올라가 봤다.

'오~'

깔끔한 옷차림의 직원. 주황 불빛으로 조금은 어두운 공간이 큰 통 창 너머 들어오는 햇빛으로 밝혀지고 있었다. 머뭇거리다 자리를 잡고 주문했다. 오늘은 또 어떤 새로움이 신기하게 다가올까 하는 마음에 설레며 기다렸다. 얼마 지나지 않아 한 잔의 음료는 정성스레 다가왔다. 종이 한 장도 함께. 작은 종이 한 장엔 공간이 지향하는 바를 조심스레 적어놓았다.

'고요한 공간의 아름다움을 나누고 싶다.'

주위를 둘러보았다. 사람은 분명 많은데 고요하다. 둘 혹은 셋 짝을 이루어 말을 나누는 데 소리가 들릴 듯 말 듯 하다. 덕분에 사람들의 발소리, 잔 부딪히는 소리, 음료 만드는 소리가 고요함을 뚫고 은은하게 들린다. "그러고 보니 음악도 안 틀었네... 신기하다..." 라고 나지막이 혼잣말을 중얼거리며 홀짝 음료를 마셔본다.

단맛, 신맛, 쓴맛. 그리고 그 밖에.

오늘 선택한 원두는 콜롬비아 후일라. 묵직한 바디감과 코코아, 다크 초콜릿의 맛이 특징이다. 혀를 이리 굴리고 저리 굴리며 테이스팅 노트에 적힌 맛이 정말 느껴지나 힘써본다. 이렇게 힘써보면 요지경 같은 맛도 조금씩 또렷해지지 않을까 하며 말이다. '천천히, 꾸준히 하다 보면 뭐라도 되겠지!'라고 속으로 크게 외치며 호탕한 마음을 품고 다시 한 모금 홀짝 마셔본다.

새로운 내일이 기대된다.

소니 오토보이

오래된 필름 카메라 한 대가 있다.

어렸을 적 부모님이 나와 형의 모습을 담아주던 카메라인데, 이제는 내가 그들의 모습을 담고 있다. 사실 그들의 모습을 담을 때보다는 멋진 풍경이나 놓치고 싶지 않은 찰나의 순간을 담을 때가 더 많긴 하다.

카메라의 이름은 소니 오토보이. 군더더기 없는 디자인에 이름도 군더더기 없이 깔끔한 친구다. 얼마나 오래되었는지 카메라 셔터 버튼을 아무리 눌러도 사진이 찍히지 않을 때가 정말 많다. 그래서 찰나의 순간을 자주 놓치곤 한다. 특히 인물 사진을 찍을 때면 원하는 타이밍에 셔터가 눌리지 않아 눈을 반쯤 감고 있는 모습을 담을 때가 대부분이다.

카메라를 담고 있는 가죽 케이스도 오래돼 이곳저곳이 벗겨졌다. 연로한 카메라뿐만 아니라 필름 값은 왜 자꾸만 오르는지 한 롤을 사서 한 컷 찍기가 가끔 손 떨릴 때가 있다. 여러모로 나에게 필름 카메라로 사진을 남기는 건 쉽지만은 않은 취미다.

그럼에도 불구하고 소중한 순간을 마주할 때마다 오래된 오토보이를 꺼내 든다.

핸드폰 터치 한 번이면 더 좋은 화질에 멋진 사진이 찍힌다. 보정도 바로바로 할 수 있다. 조금 더 관심을 받고 싶을 때면 인스타그램에 어려움 없이 업로드 할 수도 있다.

너무 쉽고 빨라서일까. 가끔은 손쉬운 방법에서 벗어나고 싶을 때가 있다. 매일은 아니더라도, 가끔은 마음에 여유를 갖고 오래된 필름 카메라를 가방에 챙겨 주위를 두리번거린다. 분명 매일 지나던 길이고 매일 보던 풍경인데 카메라 렌즈를 통해 보면 왜 더 멋져 보일까.

카메라로 한 컷 한 컷 찍을 때마다 하는 나만의 행동이 있다.

먼저, 카메라를 가죽 케이스에서 조심스레 뺀다. 이때 줄이 엉켜 있다면 조심해야 한다. 카메라 배터리 부분을 덮어주는 플라스틱 뚜껑과 케이스 줄이 연결되어 있는데, 한쪽이 부서져서 자칫하면 뚜껑이 빠져버릴 수 있다. 엉킨 줄을 잘 풀었다면 이제 원하는 풍경을 찾거나 찰나를 기다린다. 이제부터가 진짜 중요하다. 원하는 타이밍이 왔다 싶으면 숨을 흐-읍 하고 참는다. 수영장에서 코를 막고 잠수하듯 흐-읍 하고 숨을 참고 카메라 셔터를 누른다. 문제는 이때 일어난다. 이름과 달리 쉽게 한 컷을 내어주지 않는 오토보이는 셔터를 이리 누르고, 저리 누르고 온갖 애를 다 써야 삐비빅 삑삑 소리를 내며 초점을 잡아 주신다. 참았던 숨이 다 할 무렵! 드디어 초점이 딱 맞아떨어지는 그 타이밍에 수평, 수직이 맞는지 확인하고 (아직 숨이 남아 있다면)

차알칵.

이 행동을 서른여섯 번 반복하면 필름 한 롤에 소중한 사람, 멋진 풍경, 찰나의 순간을 담을 수 있다.

나는 사진작가도 아니고, 사진 찍는 데 뛰어난 재능이 있지도 않다. 그저 이 행위가 즐겁다. 필름을 사기 위해 매장을 들르고, 내 형편에 맞는 적당한 가격의 필름을 사고 (물론 적당한 가격은 없다) 카메라에 필름을 넣고, 사진 찍는 순간을 찾는 것. 이 순간들은 평범한 일상도 은근히 평범하지 않게 만들어 준다.

필름 카메라로 사진 찍을 수 있는 날이 많아졌으면 좋겠다. 모든 게 빠르고 편리한 세상에서 나 하나쯤 조금 느리고, 불편하게 산다고 해서 큰일 나는 건 없으니까. 조금 여유를 갖고 숨도 흐-읍 참아가며 한 컷 찍는 날이 많아졌으면 좋겠다.

그니까 필름아 그만 비싸져라!

불편러 vs 불편러

몇 년 전부터 TV 프로그램 속 연예인들이나 주변 사람들이 자주 사용하는 단어가 있다. 요즘 사람들(요즘 유행의 흐름에 뒤처지지 않는 사람들)이 쓰는 말을 잘 알지 못하는 나는 그들의 언어를 들을 때마다 해석이 필요하다.

파파고까지 돌리진 않아도, 인터넷에 그 뜻을 검색해보곤 한다. 대충 어떤 뜻인지 알지만, 내가 추측한 뜻이 맞는지 확인하는 느낌으로 말이다.

프로 불편러.

'매사 예민하고 별거 아닌 일을 과대 해석해서 논쟁을 부추기는 사람을 일컫는 신조어'

뜻만 보면 참으로 좋지 않은 사람이다. 모든 일에 예민하고, 작은 일도 크게 만들며, 말싸움을 부추기는 사람이라. 주변에 없었으면 하는 존재다. 그리고 그 아래.

화이트 불편러.

'사회의 부조리와 불의에 정의롭게 나서서 자신의 주장을 펼치며 공감을 이끌어내고 여론을 형성하는 사람을 의미하는 신조어'

가히 신조어의 싸움이다.
프로 불편러에 대항해 만들어진 듯한 화이트 불편러.

스크롤을 쭉 내려 관련 기사를 보니 갑론을박이 이어진다. 세상에 꼭 필요한 존재인 불편러들. 그냥 넘어가도 될 일을 굳~이 캐내어 큰 문제로 만드는 프로 불편러.

영어 어미 '-er'만 붙이면 '~하는 사람'이 되는 요즘 말에 불편함을 느끼는 나도 프로 불편러인가 싶다.

불편하다는 건 무언가 편하지 않다는 것이다. 그게 몸이든, 마음이든, 둘 모두이든. 누군가는 그 말과 그 행동이 거슬린다는 것이다. 물론 아무것도 아닌 것을 두고 "나 그거 싫어! 그냥 싫어! 짜증 나! 싫다고!" 하는 사람의 말은 한 귀로 듣고 다른 한 귀로 흘리는 것조차 아깝다. 그냥 한 귀로 들어오기 전에 새끼손가락으로 튕겨 내야 한다.

그런데, 그 불편함이 이유 있는 불편함일 수 있지 않을까. 우리가 당연하게 여기는 지하철을 타고 내리는 것. 버스를 타고 가고 싶은 곳을 가는 것. 먹고 싶은 것을 먹고,

갖고 싶은 것을 갖기 위해 직업을 선택하는 것. 내가 누리고 있는 것들이 당연한 게 아닐 수 있다는 생각을 가끔 해본다. 누군가에겐 내가 누리는 이 삶이 꿈일 수 있겠다. 누군가에겐 내가 걷는 이 길이 평생 한 번 걸었으면 하는 길이 될 수 있겠다. 이런 생각을 해본다.

세상은 변하고 있다. 누가 알았나. 이렇게 빨리 온라인 세상이 열리고, 원격으로 수업을 듣고, 회사 업무를 집에서 하게 될 줄. 올 줄은 알았지만 이렇게 빨리 올 줄은 몰랐을 것이다. 여러 이유로 세상은 변하고 있다. 변하는 세상에 프로 불편러 보다는 화이트 불편러가 많았으면 좋겠다. '사회 정의'라는 거룩한 명제를 들먹이지 않아도, 당연함이 많아지는 세상이 되었으면 좋겠다.

그렇게 화이트 불편러가 늘다보면 애완견이 반려견이 되고, 출산율이 출생율이 되고, 유모차가 유아차가 되었듯 우리도 올바른 당연함을 맞이할 수 있지 않을까.

세상은 변하고 있다.

세상은 (생각보다 빠르게) 변하고 있다.

나, 잘 살고 있나?

수도 없이 고민한다. 일어날까 말까. 그전에 눈을 뜰까 말까. 스탠드를 켤까 말까. 창문을 열어? 아니야 아직은 아침 공기가 차갑던데 조금만 이따가. 그러다 보면 알람은 또다시 울리고, 나는 누가 이기나 보란 듯 다시 알람을 끄고 고민한다. 일어날까 말까. 그전에 눈을 뜰...

매일 같은 시간에 일어나야만 하는 생활을 끝낸 이후로 나의 아침은 짧은 찰나에도 수 없이 많은 고민으로 시작된다. 아침 일찍 꼭 가야만 하는 곳도, 해야만 하는 일도 나에겐 없다. 스스로 정해놓은 기상 시간이 있고, 정해놓은 루틴만이 있다. 어두운 방 안을 밝힐 스탠드를 켜고 창문을 연다. 사실 아까는 차갑다고 했지만 차갑진 않은 선선한 공기가 들어올 때면 나의 몸은 반쯤 이미 일어나 있다는 뜻이다.

주섬주섬 침대 옆 협탁 위에 올려둔 리모컨을 들어 TV를 켜고 밤새 세상은 안녕한지 살핀다. 역시나 세상은 항상 안녕하지 못하다. 지구 반대편도 안되는 곳에 있는 두 나라는 싸우고 있고, 몇 년 전 창궐한 전염병은 아직도 여전하다.

짧은 한숨을 후 하고 내뱉고 리모컨 옆에 있던 핸드폰을 집어 들어 나의 세상은 안녕한지 살핀다. 어젯밤에 올린 인스타 스토리는 몇 명이나 보았는지, 댓글 달린 건 없는지, 카톡 메시지는 무엇이 왔는지. 썩 좋아하는 행동은 아니지만 이미 루틴이 되어버린 일련의 과정을 마치고 별다를 것 없는, 나름 안녕한 나의 어젯밤을 확인한다.

TV와 핸드폰 속 화면을 통해 보던 세상은 이미 시작되어 있었지만, 나의 세상은 이제 진짜 시작된다. 집이라 일컫는 좁디좁은 방의 불을 켜고, 화장실에 올라가(반지하는 화장실이 조금 높게 있다.) 중요 업무를 처리한다. 음~ 오늘은 시작이 상쾌하다. 어차피 운동 할 거니까 세수는 사치라며 고양이 눈곱 떼듯 살짝살짝 씻는 척만 하고 입 안을 세 번 정도 헹군다. 준비는 끝났다. 트레이닝복을 입고 집 근처 하천으로 몸을 움직이러 간다.

수도 없이 고민하던 시간이 아까울 정도다. 흔들리는 꽃들 속에서 샴푸 향이 나는 것 마냥 주변은 온갖 꽃향기가 가득하다. 얕은 하천 바닥엔 통통한 물고기들이 강물을 거슬러 올라가고 있고, 하천 밖엔 작은 개미들이 열심히 움직인다. 개미보단 크지만, 여전히 작디작은 아이들은 서로 손을 꼭 잡고

선생님이 하시는 말씀 따라 졸졸 움직인다.

내 주변 세상을 두리번거리며 이른 아침 화면을 통해 살펴본 또 다른 세상 생각이 든다. 전쟁과 전염병으로 사람들이 죽어 나간다. 그들에게 어떤 죄가 있는지는 모르겠다. 아마 없을 것이다. 만약 그들이 그곳에서 태어나지 않았다면. 만약 그들이 조금 더 잘 살고, 힘이 센 나라에서 태어났더라면. 그랬더라면 조금 덜 했을까. 아니, 그런 일이 벌어지지 않았을까.

그곳에서 스러져간 어린 아이들의 모습을 생각하다 조금 전 지나친 꼬까옷 입은 어린이집 원생들의 모습이 스친다. 친구의 손을 꼭 붙잡고 이곳저곳을 구경하는 천진난만한 귀여운 천사들의 모습이다. 포동포동한 손으로 풀을 쓰다듬으며 "선생님, 이건 이름이 뭐예요?" 하며 묻는 아이는 분명 세상을 배워가는 천사의 모습이다. 아침에 본 TV 속 아이들은 다를까. 그 아이들을 섣불리 연민하거나 동정해선 안된다는 걸 안다. 하지만 눈을 꼭 감고 그들을 생각한다. 그들이 언제까지 그들일까. 우리의 일이었고, 이 아이들의 일이 될 수 있다면 이렇게 바람에 스치듯 지나쳐도 되는 걸까.

무거운 마음을 지니고 하나둘 걸음을 빨리 해 본다. 등줄기엔 땀이 흐르고, 마스크 안에도 땀이 송골송골 맺히기 시작한다. 언제 그들을 생각했냐는 듯 운동 끝나고 뭘 먹을지 고민하고, 오늘은 또 어떻게 재미있게 보낼지 고민하는 내 모습이 참 가엽다. 생각만 거룩한 인간이 바로 여기 있구나. 지금껏 해온 생각과 고민만으로 애써 그 정도면 되었다고 스스로 위안하는 내 모습을 오늘도 발견한다.

나, 잘 살고 있나?

강박은 불안에서 온다

어젯밤 TV 프로그램에서 들은 한 줄이 머릿속에서 지워지지 않는다.

강박은 불안에서 온다.

범죄자 행동 분석에 관한 이야기를 하다 나온 말이라 조금 섬뜩하지만, 이 말은 모든 사람에게 적용되는 듯하다. 대부분의 강박은 불안함에서 온다는 말. 요즘 내 하루는 스스로 계획하고 스스로 행동한다. 얼핏 보면 부러운 일상일 수 있지만, 자세히 보면 스스로 계획하고 행동하지 않으면 아무것도 안 한다는 말이다. 한 단어로 표현하면 '백수'다.

돈 많은 백수가 꿈이었던 나는 하나는 이루었고, 다른 하나는 이루지 못했다. 굳이 부연 설명 하지 않아도 무얼 이루고 무얼 이루지 못했는지 모두 아시리라 생각된다. 백수의 하루는 길 수도, 짧을 수도 있다. 길게 보내고 싶다면 기일게 보낼 수도, 짧게 후루룩 보내고 싶다면 누구보다도 짧게 보낼 수 있는 하루가 백수의 하루다.

처음 며칠, 몇 주는 불안하지 않았다. 이게 바로 사람 사는 거라 되뇌며 느지막이 일어나 하루를 흘려보냈다. 그렇게 하루 또 하루 또또 하루를 보내고 난 요즘. 백수의 불안은 강박을 만들었다. 아침 일찍 일어나 운동을 해야 하고, 운동한 후엔 간단하지만 건강한 한 끼를 먹는다. 무언가 배울 것이 있고 느낄 것이 있는 공간을 찾아 서울 곳곳을 헤맨다. 마음에 드는 곳을 찾으면 그곳에서 몇 시간을 머물다 집에 돌아와 다이어트 도시락과 닭가슴살을 먹는다. 샤워를 하고, 그날 재미있는 예능 프로그램이 있다면 혼자 키득거리며 보기도 한다. 조금 더 알찬 하루를 보내고 싶은 날엔 아직 내 것 같은 생각이 덜 드는 반짝거리는 맥북을 켜 생각을 활자로 옮기기도 한다.

그렇게 하루를 살아내고 새로운 하루가 찾아오면 똑같은 패턴을 반복한다. 반복되는 일상 중 하나라도 빠지면 하루를 공친 기분이 든다. 허투루 보낸 듯한 그런 기분. 건강한 한 끼를 먹어야 하는데 뜨거운 기름 속에 풍덩 담겨 나온 튀김으로 위를 가득 채운다거나. 마땅히 갈만한 곳을 찾지 못해 집에서 하루를 보낸다거나. 운동을 거른다거나.

더 열심히 살아야 하는 것 아닌가 싶어, 이런저런 수업을 신청하기도 한다. 그동안 부족했던 인풋을 채워야 한다는 새로운 강박. 이 수업도 좋을 것 같고, 저 수업도 좋을 것 같다. 그러다 보면 매일 저녁은 수업으로 가득 찬다. 혼자 키득거리는 시간은 가질 수 없지만, 더 알차게 하루를 보내고 있다는 생각에 안도의 한숨이 집 안에 가득해진다.

불안한 것 같다. 불안하다.
맞다. 불안하다.

남들보다 뒤처질까 불안하고. 언제 올지 모를 이 시간을 그저 흘려보내기만 하는 걸까 불안하고. 안 그래도 통통한 몸이 뚱뚱해질까 불안하고. 또...

강박은 불안에서 온다.

나의 불안은 어디에서 오는 걸까.
무엇 때문에 오는 걸까.
오지마라.
오지 말라고.
오지 마.
퉤!

달아나는 시간을 붙잡기보다
다가오는 시간을 맞이하는 마음으로

강박은 불안에서 온다. 불안은 어디에서 올까. 무엇 때문에 오는 걸까. 애매한 서른을 바라보는 지금의 나에게 잊을 만하면 흠칫 다가오는 불안은 어디서 시작되는 걸까.

여러 이유와 변명이 있다. 알 수 없는 미래에 대한 막연함. 줄어드는 통장 속 숫자에서 오는 쪼들림. 주위를 둘러싸고 있는 반짝이는 멋진 사람들. 모든 게 불안을 가져오는 이유이다. 하지만 조금 더 생각해 보니 보스는 따로 있다.

조급함. 무언가에 쫓기듯 헐레벌떡, 허겁지겁해내야 할 것 같은 마음. 다른 사람과 보폭을 맞추기 위해 내 가랑이는 생각지 않고 달려가는 뱁새 같은 행동. 조급함이 불안함을 가져왔고, 불안함이 강박을 낳았다.

문제라고 생각되는 마음의 상황을 확인했다. 그리고 그 시작이 어디인지 알았다. 그렇다면 다음은 당연히 해결할 방법을 찾는 게 순리다. 순순히 순리를 따르는 게 인지상정이지만, MZ세대의 M을 담당하고 있는 밀레니얼 세대의 마인드로 다시 한번 찬찬히 살펴보았다.

사람이 살면서 조급할 수도 있는 것 아닌가. 조급하면 불안하고, 불안하면 강박이 있을 수도 있지 뭐. 그게 큰 문제인가. 경쟁하는 마음과 그 마음을 따르는 행동이 있어야 세렝게티 같은 우리네 인생에서 강자로 살아남을 수 있는 것 아닌가. 강강약강. 강자에게 강하고, 약자에게도 강해야 살아남는 사회 아니던가. 지금 느끼는 조급함과 불안, 그리고 강박이 뒤처진 나를 채찍질해주는 도구가 될 수 있지 않은가. 그래야 더 넓은 집과 더 빠른 차와 더 비싼 곳에서의 식사와 더 좋은 숙소에서의 여행을 즐길 수 있는 것 아닌가.

강강약강. 강자에게 강하고, 약자에게도 강한 사람. 어디에 놓아도 이길 수 있는 사람. 경쟁에서 살아남을 수 있는 사람. 그런 사람이 되고 싶다면. 그렇다면 빠르게 해결 방법을 찾는 순리의 파도에 엎드려 앞으로 나아가는 게 맞다.

만약 그렇다면.
만약 그런 사람이 되고 싶다면.

경주마처럼 평생 죽어라 달리는 삶을 살고 싶은 거니. 옆에 어떤 나무가 심겨 있고, 어떤 꽃이 피어 있고, 어떤 새가 날아가고 있는지는 정말 궁금하지 않은 거니. 강자에게 강한 사람. 그래 좋아. 근데 약자에게까지 강해서 너는 무얼 얻을 수 있니. 그리고 생각해봐. 네가 이기고 싶어 하는 그 강자가 정말 모든 사람의 눈에 강자일지. 그 사람 혼자 어깨를 하늘 높이 올리고 으스대며 센 척하는건 아닐까. 더 넓은 집. 더 빠른 차. 더 비싼 식사. 더 좋은 숙소. 더더더더의 행진이 언제쯤 끝날까. 끝은 있니. 만약 끝이 다가온다면. 끝을 마주한다면. 그 끝을 인정하고 받아들일 수 있니.

만약 그렇지 않다면.
만약 그런 사람이 되고 싶지 않다면.

달아나는 시간을 붙잡기보다 다가오는 시간을 맞이하는 마음으로 지내보자. 그래, 나에게 하는 말이야. 한번 그렇게 살아보자. 어차피 시간은 흐르니까. 지금 사는 이 세상에서의 숨이 멎을 때까지 시간은 멈춤 없이 흐를 텐데. 나 잡아봐라 하며 달아날 텐데. 붙잡으려 하지 말자. 대신, 천천히 내 보폭과 내 속도로 다가오는 시간을 맞이해보자.

꽤나 멋진 일이 될지 몰라. 맞아. 불안할 거야. 남들은 뛰어갈 테니까. 괜찮아. 몇 번 천천히 걸어봤는데, 빨리 헐떡이며 뛰는 것보다 훨씬 멋진 거더라. 아무리 맛있는 음식이라도 급하게 먹으면 체하는 거 알잖아. 심호흡 깊~게 하고. 신발 끈도 꽈악 묶고. 가방 끈도 착착 당겨보자.

조금 무섭고, 조금 외롭더라도 천천히 내디뎌 보는 거야. 사실 시작이 반이라는 말은 조금 진부해. 시작은 시작이지 뭘 반이라고까지 해. 그런데 시작을 해냈다는 거에 살짝 기뻐해 보는 거야. 그 소박하지만 알찬 기쁨을 간식 삼아서 꾸준히 걸어 보는 거지.

"거 한번 세상에 태어난 김에 열심히 살아보렵니다!"

이런 마음으로 말이야. 시간을 내 것으로 하면서.

혼잣말 대잔치를 끝냈다. 서른을 마주하는

요즘 혼잣말이 늘었다. 길을 걸으며 의식의 흐름대로 간판에 적힌 글씨를 따라 읽기도 한다. 나이가 들면 혼잣말이 늘어난다더니, 진짜인가 싶기도 하다. 그래도 오늘은 꽤 알찬 혼잣말을 했다.

그래서 부끄럽지만, 오늘의 혼잣말을 혼잣말로 남겨두고 싶지 않아 글로 남겼다. 이 글을 읽고 있는 당신에게 해주고 싶은 말이기도 하지만, 때때로 고민되고 힘들 때 이 글 속 과거의 내가 하던 혼잣말을 듣고 싶어서 남긴 글이기도 하다. 나 같은 고집쟁이는 다른 사람이 해주는 백 마디 말보다 내가 하던 한마디 혼잣말의 약발이 더 잘 먹힌다는 걸 깨달았으니까. 그래서 적어놓았다.

달아나는 시간을 붙잡기보다 다가오는 시간을 맞이하는 마음으로.

나오며

세상엔 반짝반짝 빛나는 사람들이 참 많습니다.

그들을 먼발치서 바라보며 그들처럼 빛나고 싶다고 생각한 적이 있었습니다. 그들이 멋져 보이고, 커 보였습니다.

그런데 지금은 생각이 바뀌었습니다.
바뀌기 시작했습니다.

어쩌면 이미 나도 빛나고 있을지 모른다고 생각하기 시작했고. '그들처럼' 빛나는 게 그다지 멋져 보이지 않는다고 생각하기 시작했고. 사람마다 빛나기 시작하는 때가 다를 수 있다고 생각하기 시작했습니다.

애매한 서른을 바라봅니다.

어렸을 적, 서른 정도 되면 어른이라고 생각했습니다. 그쯤 되면 무언가 이루고 있을 거라 믿었습니다. 더 이상 고민 같은 건 하지 않고 앞으로 힘차게 나아가기만 하면 될 거라고 말입니다. 그쯤이 성큼 다가와 이쯤이 되었습니다.

여전히 불안하고, 생각이 많고, 내일 일도 잘 모르는 애매한 어른이 되어가고 있습니다.

그럼에도 불구하고, 어제의 내가 싫지 않습니다. 오늘의 내가 꽤나 괜찮습니다. 내일의 내가 조금 기대됩니다. 차근히 나를 쌓아

봅니다. 차곡차곡 나를 쌓다 보면 언젠가 그 위에 서서 멀리 빛나는 다른 별들을 볼 수 있지 않을까 하며 설렙니다.

나, 꽤 잘 살고 있지 않나?

오늘의 저를 있게 해주신
가족, 친구, 동료, 그 밖에
사랑하는 모든 분께 감사하며

이복희 여사님께
더욱더 감사합니다

나, 잘 살고 있나?

초판 1쇄 발행 2022년 6월 21일

지은이 용진 (@victor_yongjin)
편집 용진
디자인 용진
펴낸곳 어바아웃북스 (@aboout_books)
출판등록 2020년 9월 23일
제 2020-000042호
메일 abooutbooks@gmail.com
ISBN 979-11-972111-1-9